Gli str

© 1975 Giulio Einaudi editore s.p.a., Torino

Il volume è stato curato da Franca Rame

ISBN 88-06-42796-2

Le commedie di Dario Fo

III

Grande pantomima
con bandiere e pupazzi piccoli e medi

L'operaio conosce 300 parole il padrone 1000
per questo lui è il padrone

Legami pure che tanto io spacco tutto lo stesso

Con una testimonianza di Franca Rame

Einaudi

Chissà perché (forse perché è piú eccitante e piú facile) sono in molti a pensare che il nostro salto, di Dario e mio, dal teatro tradizionale a quello in cui agiamo oggi, sia avvenuto cosí, da un giorno all'altro per una specie di crisi mistica, tutto d'un colpo, travolti e coinvolti dalla ventata della contestazione studentesca e dalle lotte operaie del '68, un bel mattino ci saremmo svegliati dicendo: «Basta, avvolgiamoci nella bandiera rossa e facciamo anche noi la nostra rivoluzione culturale!»

E invece la nostra vera svolta, quella che davvero ha contato, noi l'abbiamo fatta proprio all'inizio della nostra strada, ventidue anni fa, quando con Parenti e Durano e Lecoq abbiamo debuttato con *Il dito nell'occhio*. Erano i tempi di Scelba e il suo «culturame», di Pacelli (papa) con i suoi comitati civici, i tempi della censura totale. I questori e i vari ministri, sbirri e vescovi se ne accorsero subito: eravamo «una compagnia di comunisti» e facevamo «propaganda rossa». Ogni sera c'era in sala un commissario che controllava parola per parola il testo, e il Ministero dello spettacolo ci faceva saltare le piazze, i gestori di sale piú reazionari ci negavano i teatri, i vescovi, tipo quello di Vicenza, davano ordine alla questura perché si strappassero i nostri manifesti affissi nella città. Sulle porte delle chiese nel bollettino degli «spettacoli sconsigliati» c'era sempre sottolineato *Il dito nell'occhio*. E questa caccia al «comunista nemico della civiltà e di Maria» continuò per anni e anni con tutti gli altri spettacoli. Ma gli operai, gli studenti e la borghesia progressista venivano a vederci sempre di piú, ci applaudivano, ci sostenevano, permettendoci cosí di andare avanti, di imporci nonostante la mancanza assoluta di «premi d'avvio» o «premi finali».

Ecco il nostro cammino: 1953-54: *Il dito nell'occhio* (di Parenti-Fo-Durano); 1954-55: *Sani da legare* (Parenti-Fo); 1958-1959: *Ladri, manichini e donne nude* e *Comica finale*; 1959-60: *Gli arcangeli non giocano a flipper*; 1960-61: *Aveva due pistole con gli occhi bianchi e neri*; 1961-62: *Chi ruba un piede è fortunato in amore*; primavera '62, in televisione, sul secondo canale: *Chi l'ha visto*; autunno '62: *Canzonissima*; 1963-64:

Isabella, tre caravelle e un cacciaballe; 1964-65: *Settimo: ruba un po' meno*; 1965-66: *La colpa è sempre del diavolo*; 1966-1967: *Ci ragiono e canto* e *La passeggiata della domenica*; 1967-68: *La signora è da buttare.*

In piú di un'occasione rischiammo di non poter andare in scena. Il debutto di *Aveva due pistole*, spettacolo che trattava della connivenza fra fascismo e borghesia, tra malavita organizzata e potere, venne bloccato da un intervento pesantissimo della censura che ci massacrò letteralmente il testo. Decidemmo di andare in scena egualmente senza tenere in alcun conto i tagli. Ci fu un braccio di ferro piuttosto teso tra noi e la prefettura di Milano che ci minacciò di arresto immediato, ma alla fine, preoccupato dello scandalo che ne sarebbe venuto, il Ministero tolse i tagli. Il copione degli *Arcangeli* ci fu sequestrato per le troppe battute a soggetto che avevamo aggiunto (non autorizzati) nello spettacolo. Per quel testo collezionammo «rapporti al questore» di ogni città dove si lavorava, per un totale di 280, tante quante furono le repliche. Io fui denunciata per una battuta contro i militari nello spettacolo su Cristoforo Colombo. Sempre durante le repliche del *Colombo*, fummo aggrediti dai fascisti all'uscita del teatro Valle a Roma e, stranamente, la polizia di servizio, in quell'occasione, era sparita. Dario venne addirittura sfidato a duello da un ufficiale d'artiglieria a cavallo, per battute offensive all'onore dell'esercito italiano, e da quel pazzo che è sempre stato accettò la «tenzone», a patto che il duello si svolgesse a piedi nudi, in un incontro di box tailandese, di cui si vantava campione regionale. L'ufficiale di artiglieria ippotrainata non si fece piú vedere. Ma, a parte le storielle amene, pur lavorando nel «teatro ufficiale», i guai e le difficoltà ci piovevano addosso a valanga, i reazionari e i conservatori non riuscivano a digerire certe «violenze satiriche» dei testi che rappresentavamo. Decine di critici ci accusavano di svilire il teatro con l'introdurvi ad ogni istante la politica, e ci riproponevano il solito frusto ritornello dell'«arte per l'arte» di crociana memoria.

Sempre di piú il nostro teatro diventava provocatorio, non lasciava nessuno spazio al teatro «digestivo», i reazionari si imbestialivano, in piú di un'occasione scoppiavano risse tra gli spettatori, i fascisti tentavano di far nascere risse in platea. Il questore di Siena fece prelevare Dario al termine di una rappresentazione da due carabinieri, perché aveva offeso un capo di Stato (Johnson) nella *Signora è da buttare*. Si potevano fare critiche di ogni genere al nostro teatro, ma bisogna ammettere che il nostro era un teatro vivo, dove si parlava di «fatti» di cui la gente aveva bisogno di sentir parlare. Per questo, e per il linguaggio diretto da noi usato, il nostro era un teatro popolare.

Il pubblico cresceva di numero ad ogni spettacolo. Dal 1964 al '68 siamo sempre rimasti in testa a tutti gli incassi delle maggiori compagnie italiane, ed eravamo tra quelli che tenevano i prezzi piú bassi. Ma è proprio alla fine della stagione della *Signora* (1968) (un vero e proprio record d'incassi) che maturammo la scelta di lasciare le strutture consuete del teatro ufficiale: ci eravamo resi conto che, a parte la reazione becera di qualche reazionario fra i piú ottusi, la grande borghesia, alle nostre «sculacciate», reagiva quasi con piacere. Masochisti? No, eravamo diventati, senza essercene resi conto, i sollecitatori del loro ruttino digestivo. Il nostro «fustigare» accentuava la loro circolazione sanguigna, come le nerbate di betulla dopo la sauna ristoratrice.

Insomma, eravamo diventati i giullari della borghesia grassa e intelligente. Questa borghesia accettava che noi la criticassimo anche in maniera spietata attraverso la satira e il grottesco, ma a condizione che la denuncia dei suoi «vizi» si esaurisse *dentro* le sue strutture, gestite dal *suo* potere. Un esempio di questa logica è stata la nostra partecipazione a *Canzonissima*: qualche mese prima, sul secondo canale (da poco in funzione e privilegio delle sole classi abbienti), era andato in scena uno spettacolo nostro che aveva per titolo *Chi l'ha visto?* In quell'occasione ci avevano permesso di fare una satira a sfondo politico-sociale di una violenza piuttosto inconsueta per la televisione. Passò tutto senza grandi intoppi, anzi le critiche furono del tutto positive e fummo applauditi «vivamente» da quel pubblico «selezionato». Ma quando riprendemmo gli stessi discorsi satirici davanti ad un pubblico di oltre 20 milioni di spettatori nella trasmissione piú popolare dell'anno, per l'appunto *Canzonissima*, ci fu il finimondo: i giornali (gli stessi che nella precedente emissione si erano prodigati in applausi) si scatenarono in veri e propri linciaggi. «È un'infamità, – urlavano, – dare in pasto simili scellerataggini da bassa propaganda politica ad un pubblico tanto sprovveduto e cosí facilmente influenzabile come è la gran massa televisiva». Quindi, sollecitati dai comitati civici, dai centri di potere piú retrivi, ecco che i dirigenti televisivi ci fecero piovere addosso tagli e divieti di una pesantezza inimmaginabile. Era il massacro dei testi. Era il ritorno alla censura di marca scelbiana. Fummo cosí costretti ad abbandonare clamorosamente la trasmissione. Preferimmo affrontare i quattro processi.

E sono ormai diciotto anni che non mettiamo piú piede alla televisione. Tredici anni di «confino» e 300 milioni di danni richiesti, piú 26 da pagare sull'unghia. Il potere non perdona a chi non rispetta le regole del *suo* gioco.

È il solito discorso: i grandi re, i potenti, che certe cose le capiscono, hanno sempre pagato buffoni di corte perché recitassero, davanti a un pubblico di cortigiani d'alto livello, filastrocche cariche di umori satirici e allusioni, anche irriverenti, al loro potere, alle loro ingiustizie.

Cosí i cortigiani potevano ben gridare stupefatti: «Che re democratico! Egli ha la gran forza morale di ridere di se stesso!» Ma sappiamo bene che, se quel buffone avesse avuto l'impudenza di uscire dalla corte per andare a recitare e a cantare quelle stesse satire in piazza davanti ai contadini, agli sfruttati, agli operai, allora il re e i suoi leccapiedi l'avrebbero subito pagato di ben altra moneta. Perché ci si può prendere gioco del potere, ma se lo fai all'esterno ti bruciano! Ecco cosa avevamo capito: per sentirci coerenti col nostro impegno politico, non bastava piú considerarci artisti democratici di sinistra pieni di simpatia per la classe operaia e per gli sfruttati in genere. La simpatia non bastava piú. La lezione ci veniva direttamente dalle straordinarie lotte operaie, dal nuovo impulso che tutti i giovani stavano dando nelle scuole alla lotta contro l'autoritarismo, l'ingiustizia sociale, le spinte per un nuovo rapporto con le classi sfruttate, per creare una nuova cultura. Dovevamo smettere di fare gli intellettuali che, comodamente sistemati dentro e sopra i propri privilegi di casta, si degnano, bontà loro, di trattare anche i problemi degli sfruttati. Dovevamo deciderci a metterci interamente al loro servizio: diventare i giullari degli sfruttati. Questo voleva dire andare a recitare in strutture che fossero gestite da loro, dalla classe operaia. Ecco perché subito pensammo alle case del popolo.

Le case del popolo rappresentano in Italia un fenomeno particolare, molto diffuso. Sono state costruite dagli operai e dai contadini, con le loro forze, fin dall'apparizione dei primi nuclei socialisti alla fine dell'Ottocento. Sulla facciata di queste prime case c'era scritto: «Se vuoi fare la carità ad un povero, dàgli 5 soldi, 2 soldi per il pane, 3 soldi per la cultura». E cultura non vuol dire solo saper leggere e scrivere, ma anche esprimere la propria creatività a partire da una propria concezione del mondo. Ma andando a lavorare in quei locali, ci siamo resi conto che quell'esigenza originaria, che aveva spinto operai e contadini a fabbricarsi propri spazi per studiare e produrre insieme cultura, si era completamente dispersa. Quelle case del popolo si erano ridotte a soli spacci di bevande piú o meno alcoliche, sale da ballo e da biliardo. Non che il bere, il ballare e il giocare a carte e a boccette non sia importante, ma il fatto è che ormai ci si limitava solo a quello. Non si discuteva quasi piú, si proiettava qualche documentario o si allestiva qualche spettacolino, cosí, tanto per gradire e in forma meramente ricreativa. La grave responsabilità dei partiti della classe operaia sta proprio nel fatto di aver lasciato cadere le esigenze di espressione creativa di cui gli operai e i contadini avevano manifestato cosí prepotentemente il bisogno. Il tutto con la persuasione che è inutile sollecitare lo sviluppo di una cultura proletaria, giacché non esiste né può esistere.

«Esiste una sola cultura, – dicono quelli "che sanno", – al

di sopra delle classi. La cultura è una, cosí come è una la luna e uno è il sole che splendono indifferentemente per tutti quelli che se ne vogliono e se ne sanno servire».

È ovvio che contro questa teoria interclassista ci trovammo subito a lottare. Nella polemica facevamo spesso l'esempio della rivoluzione cinese, dove il partito aveva dimostrato di avere ben altra fiducia nella creatività del popolo, nella possibilità e nell'impegno che le masse hanno di costruirsi un altro linguaggio, un altro lessico, una diversa filosofia dei rapporti e della vita sociale, un altro amore. E soprattutto la grande determinazione (davvero rivoluzionaria) in quei dirigenti, di spingere gli intellettuali a partecipare alla vita politica, al di là della loro vita artistica, entrando fino in fondo nella lotta di classe, col compito di studiare e imparare dai contadini e dagli operai la loro cultura, i loro bisogni, e trasformarli *insieme* in espressione d'arte. È logico che questi nostri discorsi facevano imbestialire i burocrati di partito, che si attaccavano al solito luogo comune del «bisogna andare avanti per gradi, attenti alle fughe in avanti, partire dai livelli piú bassi». E lí, usciva immancabile una certa sfiducia per l'intelligenza degli operai e la possibilità da parte loro di inventarsi autonomamente, oltre che di esprimere, un proprio mondo culturale. Infatti quel pubblico delle case del popolo, non solo stava ad ascoltare, ma prendeva parte attiva al dibattito e al nostro lavoro. E proprio adesso, rileggendo le bozze di quei primi spettacoli, mentre correggo e inserisco didascalie, mi viene in mente del nostro debutto alla casa del popolo di Sant'Egidio alla periferia di Cesena. Avevamo deciso di andare lí a fare le prove generali, quattro o cinque giorni prima del debutto. Noi si montava le strutture in ferro per il palcoscenico aiutati dai ragazzi dell'organizzazione (Arci), qualche operaio, qualche studente. Ma i soci della casa del popolo se ne stavano a giocare a carte in fondo al salone, ci davano un'occhiata ogni tanto, ma con diffidenza: eravamo per loro degli intellettuali forse ammalati di populismo, di passaggio per qualche giorno a rifarsi lo spirito fra i proletari, a mettersi la medaglietta «dell'andare verso il popolo» e poi via di nuovo da dove eravamo venuti. Quello che però li sorprese subito fu il fatto di vederci lavorare. Lavorare a forza di braccia: sollevare casse, portare tubi di ferro, imbullonare tralicci, montare i riflettori ecc. Degli attori, uomini e donne, che sgobbano? Chi l'avrebbe mai detto!? Intanto era sorto un problema piuttosto serio: in quel salone le voci rimbombavano in modo spaventoso, non c'era assorbimento, non si riusciva a recitare. Bisognava stendere dei cavi sul plafone e appenderci dei pannelli anacustici. Decidemmo di usare dei contenitori per uova, di cartone. Però bisognava legarli l'un l'altro con dello spago. Io e due altre compagne ci incaricammo del lavoro. Avevamo qualche ago di quelli da tappezziere, ma si infilavano con difficoltà.

Si stava da qualche ora imprecando per la fatica di far entrare gli aghi nel cartone quando ci accorgemmo che i compagni del circolo non giocavano piú a carte, ci stavano guardando. Seguivano il nostro lavoro con interesse, senza parlare. Dopo un po', un vecchio compagno, come se parlasse tra sé e sé, borbotta: «Ci vorrebbe un ago molto piú lungo». Silenzio ancora per un po', poi un altro dice: «Potrei farlo io, con un raggio di bicicletta». «Vai!» gli dicono tutti. Passa pochissimo tempo ed ecco il compagno di ritorno con dieci aghi lunghissimi. E tutti che si mettono ad aiutarci a infilare spago dentro i cartoniportauova, ad aiutarci ad appenderli andando sulle scale tenute verticali, come giocolieri, facendo battute, sghignazzando tutti come in un gran gioco. Di lí a qualche ora in quel salone c'era una tal confusione di gente che quasi non ci si poteva piú muovere. Erano venuti ad aiutarci anche i giocatori piú accaniti di biliardo e anche qualche donna arrivata per ritirare il marito tiratardi.

Avevamo rotto il ghiaccio, vinta del tutto la loro diffidenza. Avevamo guadagnato la loro simpatia dimostrando con la pratica che anche noi si sapeva faticare. Nel tardo pomeriggio, subito dopo il lavoro, erano già lí pronti ad aiutarci. E quando si iniziava a provare i pezzi dello spettacolo, si sedevano sul fondo del salone, in gran silenzio e stavano a vedere. I vecchi zittivano i giovani che sbottavano a ridere sulle battute comiche. «Non si deve disturbare!» Poi pian piano si sciolsero tutti. Alla fine delle prove si chiedeva quale fosse il loro parere, se avevano critiche da farci. Al principio non si sbottonavano, non se ne intendevano di teatro, dicevano, ma poi cominciarono a prendere coraggio e ci facevano qualche osservazione, ci davano, con grande umiltà, ma sempre con grande pertinenza, consigli, e anche ci facevano qualche critica. Cosí, quando finalmente andammo in scena, non era piú soltanto lo spettacolo «di Nuova Scena», era lo spettacolo nostro, nel senso di tutti noi che si stava in quel salone, perché l'avevamo montato insieme. E quando ci spostammo nelle altre case del popolo nei dintorni, quei compagni ci seguivano, presentavano lo spettacolo agli altri compagni del posto, andavano ad affiggere i manifesti, intervenivano sempre per primi nel dibattito, ci sostenevano: eravamo la loro squadra. In quel primo anno abbiamo recitato in piú di ottanta fra case del popolo, bocciodromi coperti, fabbriche occupate, cinematografi rionali e perfino in qualche teatro. Abbiamo recitato davanti a 200 000 e piú spettatori, dei quali il 70 per cento circa era la prima volta che assisteva ad uno spettacolo teatrale. I dibattiti che seguivano allo spettacolo erano sempre accesi, si protraevano quasi sempre fino a notte alta. Parlavano tutti, donne, ragazzi, uomini e vecchi, e tutti parlavano delle proprie esperienze, della Resistenza, delle loro lotte e ci dicevano quello che avremmo dovuto raccontare nei nostri prossimi spettacoli: la loro storia. Infatti, è da quei dibattiti che sono nati i testi che ritrovate in questo libro cioè: *Grande pantomima con bandiere e pupazzi piccoli e medi*, *L'operaio conosce 300 parole il padrone 1000 per questo lui è il padrone*, *Legami pure che tanto io spacco tutto lo stesso*.

Ma da quei dibattiti non solo abbiamo rilevato i temi e le storie nuove, ma soprattutto un linguaggio nuovo, diretto, senza orpelli né sofisticherie. Certo, per questo qualcuno ci ha tacciati subito di populismo, ma il populismo è di chi si cala sul popolo dall'alto, col paracadute, non di chi ci sta dentro fino al collo e fa di tutto per imparare nella realtà le lotte del popolo. E standoci dentro abbiamo anche potuto verificare una grande verità espressa da Brecht quando diceva: «Il popolo sa dire cose profonde e complesse con grande semplicità; i populisti che si calano dall'alto a scrivere per il popolo dicono, con grande semplicità, cose vuote e banali».

Ma i dibattiti, le polemiche, e soprattutto gli spettacoli che ne sortivano, cominciavano ad infastidire i dirigenti delle case del popolo, per non parlare di quelli dell'Arci: l'organizzazione dentro le cui strutture agivamo tutti noi. Tenemmo duro; ma alla fine dovemmo staccarci. La tensione era arrivata a sfociare in vere e proprie risse, attacchi di ogni genere, verbali e scritti in articoli polemici sull'«Unità» e le riviste culturali di partito. Noi si reagiva, alle volte, con poco senso dialettico, anche in modo sgangherato e velleitario. Si aveva davvero poca pratica della politica sottile e del saper essere contenuti e accomodanti. Ma, oggi come oggi, guardando la realtà e pur ammettendo di aver compiuto errori di ingenuità e perfino di settarismo, dobbiamo dire che non c'era altro da fare: restando in quelle strutture non si sarebbe potuto andare avanti di un passo, si sarebbe rimasti invischiati da mille compromessi.

Ma non è stato tanto facile quel distacco; nel nostro interno si ebbe una scissione: piú della metà dei componenti scelse di continuare a lavorare dentro le strutture dell'Arci sempre mantenendo l'etichetta di «Nuova Scena». Il nostro gruppo si chiamò «La Comune».

Avevamo superato una grossa crisi, ma era una crisi di crescita, verso la chiarezza. C'era sempre alla base lo scontro fra due fondamentali idee riguardo il nostro ruolo di attori. Vale a dire, se ci si doveva ritenere dei militanti al completo servizio della classe operaia o, piú semplicemente, degli artisti di sinistra.

La questione tornava immancabilmente fuori ogni due anni, puntuale. La seconda soluzione voleva dire accettare compromessi piú o meno corretti, tendere all'opportunismo, perdere ogni rigore, non solo a proposito della stesura dei testi, ma soprattutto riguardo al comportamento collettivo e singolo, sia verso l'esterno, che al nostro interno. Vigeva perdipiú, nel nostro collettivo, una sorta di democraticismo deleterio che è stato la causa prima di tanti dissensi, conflitti e separazioni. Preoccupati di non fare i capocomici, Dario e io abbiamo commesso per anni l'errore opposto, cioè lasciavamo di fatto il nostro collettivo senza una direzione vera e propria. Peggio, permettevamo a quelli che anelavano alla conquista degli «spazi di potere» di organizzare fazioni, strane alleanze, al punto di comprometere la nostra autonomia con alleanze politiche a noi estranee. Cosí, due anni fa, all'ultima scissione, Dario e io ci trovammo con quattro altri compagni, completamente soli, spogliati di tutto: camion, apparecchiature elettriche, pulmini, riflettori, comprese le nostre personali attrezzature sceniche, frutto di vent'anni di lavoro, che avevamo immesso nel collettivo uscendo dal teatro ufficiale, materiali che da soli erano il corredo bastante a due compagnie primarie.

Ma la prova del nove della correttezza o meno di quei compagni che hanno determinato la scissione la si può valutare nella pratica: in nemmeno un anno hanno infilato con i loro spettacoli insuccessi e fallimenti indicibili. Si sono scannati tra di loro, si sono riscissi, hanno sperperato denari, svenduto o lasciato deperire tutto il materiale, e adesso si sono sciolti, non esistono piú. Questo disastro non ci dà alcun piacere, ci lascia solo una gran tristezza perché ci fa capire che tante forze, tanti compagni con mezzi e qualità d'attori, che potevano continuare a produrre per la lotta, possono essere tanto facilmente distrutti da una deleteria ideologia che raffiora come un cancro dentro ogni collettivo: l'individualismo, la lotta per il potere personale, con tutti i mali che ne conseguono. Ma una cosa l'abbiamo imparata, e cioè che questo errore si può combattere e vincere solo se riusciamo a legarci sempre piú strettamente alla classe operaia e alle sue lotte, facendo entrare direttamente gli operai nella gestione del nostro lavoro, mettendoci completamente a loro disposizione, e, con la massima fiducia, al loro servizio.

Applicando questo principio, il clima interno al nostro collettivo è completamente cambiato: non c'è piú tensione, nessuna discussione a carattere personalistico.

Ebbene, con tutte le beghe, i problemi, gli scontri e le scissioni, quello che resta di positivo è il prodotto di questi sette anni di lavoro, i milioni di spettatori che hanno assistito alle nostre rappresentazioni, gli interventi in fabbriche occupate, nelle città dove si svolgevano processi politici con spettacoli scritti appositamente, come *Morte accidentale di un anarchico*, recitato durante tutto lo svolgimento del processo Calabresi Lotta Contiŋua a Milano; *Pum pum, chi è? La polizia!*, recitato a Roma per il processo Valpreda; gli interventi per Giovanni Marini a Salerno e a Vallo della Lucania; a Pescara durante il processo dei cinquanta detenuti per una rivolta nel carcere di quella città; a Mestre in sostegno degli operai di Marghera, e ancora spettacoli in varie città, il cui incasso totale andava a sostegno delle fabbriche in lotta (Padova, Bergamo, Asti, Varese, Torino, e un lungo periodo a Milano); la vendita di diecimila bicchieri di una vetreria milanese occupata, fatta al Palazzetto dello Sport di Bologna (incredibile; ogni compagno, ogni spettatore aveva in mano il suo bravo bicchiere).

Il fatto che Dario, in mezzo a tante difficoltà interne al collettivo, senza parlare di quelle esterne – processi, denunce, aggressioni, attentati, arresti –, sia riuscito a scrivere e a realizzare una cosa come tre testi all'anno (senza contare i canovacci di pronto intervento) ha qualche cosa di stupefacente, anche ai miei occhi, che queste fatiche e drammi ho vissuto in prima persona.

A questo punto è bene che cerchi di dirvi qualche cosa riguardo al mestiere di scrittore (meglio dire di costruttore di testi per teatro) di Dario. Perché costruttore, piú che scrittore? Perché, con la scrittura, parte, in Dario, l'esigenza di pensare e fabbricare una scena, meglio, una sequenza di spazi scenici, di piani, dove rappresentare l'azione teatrale. È ancora costruzione teatrale piú che scrittura, perché il suo teatro non è fatto di personaggi, ma di *situazioni*. I personaggi tendono alle maschere, quindi a pretesti emblematici, al servizio di una situazione. La scena si muove grazie ad una azione, come l'attore si muove grazie al suo gesto, alla sua parola. Anche gli oggetti sulla scena, quindi, diventano personaggi di situazione: i libri nella biblioteca e le casse di *L'operaio conosce trecento parole* non sono elementi decorativi, ma elementi della situazione. Questo impone una grande spregiudicatezza nell'usare e impiantare la macchina. Per questo Dario si può permettere di portare indifferentemente sul palcoscenico pupazzi e burattini, manichini e maschere, attori a viso scoperto e facce dipinte. Il tutto imponendo, dal di dentro, un rapporto aperto con le canzoni, le tiritere, i lazzi, le grida sguaiate, l'uso di strumenti fracassoni, le pause, il ritmo esasperato (ma mai caricato), uno stile rigoroso anche quando tutto sembra casuale, accidentale. Solo a gente superficiale, il teatro di Dario può sembrare fatto «a braccio». No, è tutto ragionato, pensato, scritto, provato, riscritto e riprovato, e sempre in un rapporto pratico su e con il pubblico. Non bisogna dimenticare che Dario viene dall'architettura, che è scenografo, oltre che scrittore e attore: e che quindi pensa sempre il teatro (e insiste a ripeterlo) come «pianta, alzato, scorcio e prospettiva». Io personalmente vengo da una famiglia di attori, fin da bambina ho visto allestire, costruire, scrivere spettacoli di tutti i generi, ma il metodo e la rapidità di Dario nello scrivere mi ha sempre impressionata. Per *Gli arcangeli* ha impiegato venti giorni, e mi sembrava già un record. Per *Pum*

pum rimanemmo sbigottiti tutti quanti. In due giorni aveva scritto il primo tempo, venne a leggercelo a Siena, giacché tutto il collettivo stava recitando *Ordine per dio* in un cinema della periferia. Ce lo lesse, si discusse, quindi, ottenuto il «benestare» da tutti i compagni, ripartí la sera stessa, si rinchiuse giorno e notte in un albergo di Bologna e, dopo altri due giorni, il testo era finito. Aveva naturalmente tutto in testa, frutto di centinaia di dibattiti, documenti e articoli di giornali a chili, letti e assimilati. Questo quando ha le idee chiare. Quando però non riesce a trovare la chiave giusta, si accanisce alla macchina da scrivere per dieci, quindici ore, e, quando viene a letto, è tutto da ridere. Se ne sta steso, a luce spenta, l'occhio sbarrato, il cervello che lavora, lavora, tanto che gli dico: «Smettila di pensare, fai rumore, non riesco a dormire». Io e Jacopo, nostro figlio, siamo le prime persone a leggere ogni pagina nuova e non riesco, nemmeno dopo tanti anni, ad abituarmici: lo trovo straordinario, ha una invenzione costante, è sempre vivissimo, giovanissimo, mai banale, ovvio. I suoi testi hanno sempre una macchina teatrale perfetta, non sono mai stucchevoli, noiosi. Quello che piú mi sbalordisce è che scrive a struttura aperta, cioè non fa una scaletta completa del testo. Inventa un dialogo su una situazione paradossale o reale e va avanti come per una logica geometrica naturale, conflitti che si sciolgono in una «gag» dopo l'altra, di pari passo con il discorso politico. Discorso politico chiaro, didattico. Ti commuovi e ridi, ma soprattutto pensi e prendi coscienza e vieni anche ad approfondire particolari di fatti di cronaca che ti erano sfuggiti. Conosci, come in *tutti uniti tutti insieme ma scusa quello non è il padrone?* parte della storia del tuo paese, della prima guerra imperialista, quella di Libia (1911), dell'altra voluta dal capitale (1915-18), delle grandi lotte operaie del 1918-21, della scissione del '21 nel PSI e conseguente nascita del Partito comunista, fino all'avvento del fascismo. In questo spettacolo vedi anche come la classe operaia lotta per farla finita con gli sfruttatori, con i padroni di sempre. Vedi la sua forza, i suoi morti, la sua grande volontà, e vedi anche come viene mandata in malora da chi aveva nelle mani la sua fiducia e la sua direzione: i socialisti. Giudico questo spettacolo, con *Mistero buffo* e *Morte accidentale di un anarchico*, i piú bei testi politici di Dario.

Questo è quanto penso del Dario Fo scrittore di teatro. Di Dario scrittore-regista-attore hanno già detto in tanti. Quello che posso aggiungere io è qualche cosa sul comportamento in scena del Dario attore: sempre presente, pronto a cogliere l'umore del pubblico, con «tempi» inimitabili. Compagno fino in fondo dei compagni che lavorano con lui, certe volte dispiaciuto del suo successo rispetto al successo di un altro compagno, sempre teso a che tutti abbiano anche soddisfazioni personali. Se un compagno perde una risata, ci lavora sopra, e non è tranquillo fino a che non se la riprende. Del Dario uomo, compagno, ho pudore a parlarne. Dirò solo che la sua onestà, la sua bellezza interiore la si vede mano a mano che invecchia, sulla sua faccia, è sempre piú dolce, simpatico e sereno, umile, generoso, e paziente. Non conosco nessuna persona che abbia tanta pazienza, soprattutto con gli importuni: e dio sa se in questi anni ne abbiamo incontrati. Ancora: è generoso, è cocciuto. Niente lo smonta, non l'ho mai sentito dire «smettiamo». Anche prove durissime, come il mio sequestro da parte dei fascisti, o la scissione del '72 con il collettivo con cui lavoravamo e di cui abbiamo già parlato, le ha superate con il raziocinio, la forza e la calma consuete, sicuro di farcela, sicuro dell'appoggio e della stima dei compagni che a migliaia e migliaia ci seguono, sempre. Che dite? vi pare che sia un po' «infanatichita» del Dario? che l'ammiro molto? Troppo? Ebbene, io dico che sí, l'ammiro, ma piú ancora: lo stimo. Incontrarlo è stata una fortuna: se non l'avessi già fatto, lo sposerei.

FRANCA RAME

Le commedie di Dario Fo

Grande pantomima
con bandiere e pupazzi piccoli e medi

Prima esecuzione alla Camera del Lavoro di Milano nel novembre 1968, dal Collettivo Nuova Scena diretto da Dario Fo.

Elenco dei personaggi

Generale
Capitale
Confindustria
Vescovo
La Regina - Alta Finanza
Gesú Gesú
Principe
Personaggio in frak
Pupazzo Re
Carabinieri
Contadini
Tecnico Radio
Drago
Beghine
Professore
Assistenti
Maestra di ballo
Ragazza
Voce Speaker
Ragazzo
Ragazza Ricciolona
Ingegnere programmatore
Tecnici televisivi
Regista televisione
Segretaria

Pupazzone
Pupazzi piccoli e medi
Rivoltosi, manifestanti

La scena è a due piani, con scala a vista che porta sul
praticabile superiore. Una passerella di quattro metri che parte dal centro proscenio entra nel bel mezzo
del pubblico.
Gli attori e le attrici avranno un costume semplicissi-
mo. Calzamaglia piú o meno colorata per le donne,
calzoni attillati e maglietta girocollo per gli uomini. I
costumi veri e propri saranno indossati a vista rapi-
damente grazie all'espediente detto «di Fregoli». I
costumi cioè saranno d'un pezzo solo: giacca o cap-
potto, panciotto, camicia, colletto (pantaloni in alcuni casi) tutti cuciti insieme. I costumi, spaccati sul
di dietro, si infileranno come si fa per i grembiuli. I
costumi, la maggior parte, verranno portati in scena
e appesi su apposite strutture, in modo da poter essere infilati al volo senza mai cessare l'azione. Pochi attori potranno cosí recitare parecchie parti. In alcuni
casi i vestiti verranno muniti di teste o maschere e
parteciperanno all'azione sostenuti dagli attori stessi
che già recitano altri personaggi.

Luce bassa.
Entrano in scena undici attori e tre attrici (Il Popolo)
provvisti di maschere che alludono alla Commedia del-
l'Arte (Zanni). Portano anche trombe, tromboni, flauti,
tamburi ecc., e sono armati di lunghe pertiche, alcuni
spingono dei manichini montati su rotelle. Improvvisa-
no una marcia con squilli in dissonanza, addirittura stonati, la fanfara è diretta da un grande Pupazzone (oltre
tre metri di altezza) che domina la scena. Il Pupazzone
è una chiara allegoria del FASCISMO.
La marcia si rivela alla fine un coro verdiano, con l'intervento di alcuni acuti da melodramma; il Pupazzone
assume un'aria sempre piú tronfia. Il coro viene interrot-
to piú volte da interventi parlati del Pupazzone. Le parole non sono comprensibili, ma il tono è quello della
retorica fascista, le frasi intellegibili finiscono però sempre con una parola ben chiara: ITALIA – PATRIA – GUER-
RA (*voce amplificata*). Alla parola «guerra» c'è uno sca-
tenamento sonoro di strumenti e rumori, mentre gli attori si muovono in un effetto come al «rallentatore». Le
tre donne si portano vicino ai manichini; al colpo di
gong tutto tace e i manichini cadono a terra lentamente.
Le donne s'inginocchiano vicino ai manichini. Singhiozzi e lamenti. I manichini vengono issati sulle spalle degli
attori. Inizia un corteo funebre con canti e suoni sempre volutamente stonati. Lentamente, singhiozzando,
tutti gli attori escono di scena, per rientrare quasi subito con le maschere sollevate sul viso e i bastoni.
Sono i RIBELLI.
Fanno indietreggiare il Pupazzone al grido ripetuto di
«Pietà l'è morta». Si aprono contemporaneamente le
tende centrali della scena che rivelano tre manichini im-

piccati recanti cartelli come: BANDITO — RIBELLE — CO-
MUNISTA. Il Pupazzone indietreggia fino al lato estremo
della scena gridando le stesse parole dei cartelli. Gli attori allora si girano di colpo verso il pubblico e iniziano
un coro urlato:

Pietà l'è morta!

Piena luce.
Cantato:

Ascolta bene – o popolo ignorante
che ti racconto – com'è facile farti fesso
piegato in due – finisci sempre al cesso
basta una smorfia e t'intenerisci il cuor.

Tutti gli attori voltano le spalle al pubblico, si aprono in
modo da lasciare liberi, ben in vista i tre Partigiani impiccati e recitano «il Giuramento dei Reggiani».

CORO
No, non vi potremo mai dimenticare, mai!
Non sarete stati ammazzati inutilmente!
Il ricordo della vostra morte servirà a tenervi sempre
vivi,
presenti nella lotta perché alla fine la rivoluzione
vinca!
No, non sarete traditi.
Nel nostro pensiero non sarete sepolti, mai!

Al termine del giuramento i rivoltosi circondano il
grande Pupazzo che si difende con mosse e atteggiamenti da gigante infuriato, urla, calpesta i rivoltosi: alla fine
è completamente bloccato da un nugolo di pertiche che
lo tengono quasi ingabbiato.
Nella confusione generale, gli attori che impersoneran-
no la Confindustria, il Generale, il Capitale, la Regina,
il Principe, il Vescovo usciranno via via di scena senza
farsi notare. Le tende centrali verranno chiuse, facendo
cosí scomparire i tre manichini.

VOCE RIVOLTOSO   Bloccatelo, da quella parte!
RIVOLTOSO DETTO GESÚ GESÚ   Brutta bestia schifosa, hai
finito di tenerci sotto!

PRIMO CAPO   Forza: infilziamogli la pancia... tutti insieme... ohoo...

Dal ventre del Pupazzone esce una esile voce di donna.

VOCE DONNA   No... fermatevi... pietà!

IL RIVOLTOSO   Chi ha parlato?

PRIMO CAPO   Sbaglio o la voce gli è uscita dal ventre?

GESÚ GESÚ   Oh Gesú Gesú!

IL RIVOLTOSO   Sarà ventriloquo... li conosce tutti i trucchi 'sto maiale...

PRIMO CAPO   Certo, per vent'anni non ha fatto che giochi di prestigio... ma stavolta non attacca piú. Forza:
infilziamolo!

VOCE DONNA (sempre dall'interno del Pupazzone)   No!
Pietà... sono innocente!

DONNA RIVOLTOSA   Fermatevi! Questa non è una voce da
ventriloqui... sembra piuttosto quella di un bambino...

ALTRO RIVOLTOSO   Vuoi vedere che è incinta?

GESÚ GESÚ   Oh! Gesú, Gesú!

PRIMO CAPO   Un condottiero incinta?

GESÚ GESÚ   Hai sempre detto che era peggio di una pro-
stituta... e si sa: anche le prostitute s'innamorano e poi
rimangono incinte. Mi ricordo di una volta ad Amsterdam...

PRIMO CAPO   Basta con le chiacchiere... io l'accoppo.

PUPAZZONE   No, pietà... almeno per la creatura che porto
dentro di me...

RIVOLTOSO   Hai visto... che t'avevo detto: è una mamma!

ALTRI RIVOLTOSI   E cosí siamo fregati un'altra volta!

GESÚ GESÚ   Eh già, non possiamo piú ammazzarlo, ormai... bisognerà aspettare che partorisca... pensa, se
grosso com'è ha la gestazione degli elefanti, per nove
anni ci toccherà aspettare! Io mi ricordo che una volta
ad Amsterdam...

PRIMO CAPO   Macché nove anni... dal momento che il
bambino ha parlato, vuole dire che è già pronto... Avanti bambino! Ehi, parlo con te... nascituro salta fuori!

DONNA RIVOLTOSA   Non sarebbe bene chiamare una levatrice? Siamo rivoltosi, ma umani, andiamo! Io poi sono
anche mamma!

ALTRA DONNA   Bella gravidanza però... non ha neanche le
doglie...

RIVOLTOSO   Si vede che è andato molto a cavallo...

ALTRO RIVOLTOSO (*gridando verso l'esterno*)   Portate del-
l'acqua calda...

GESÚ GESÚ (*come sopra*)   E del borotalco, pannolini...
delle fasce, una cuffietta...

PRIMO CAPO   Sí, anche due pastori, tre re magi e lo zam-
pognaro... ma dico, Gesú Gesú, ti sei già dimenticato di
tutto quello che ci ha fatto passare 'sto Pupazzone maledetto?! Via, fate largo che ci penso io... Ehi del ventre,
fuori, o stronco!

DONNA (*affacciandosi con la testa dal ventre*)   Eccomi!...
fermo per carità!

RIVOLTOSO   Oh, è una femminuccia!

GESÚ GESÚ   È già donna!

ALTRO RIVOLTOSO   Avrà vent'anni come minimo!!! che
sviluppo!

GESÚ GESÚ   T'avevo detto che questo aveva il parto lungo... mi fanno ridere gli elefanti! Io mi ricordo che una
volta ad Amsterdam...

RAGAZZA AFFACCIATA   Datemi il tempo di infilarmi qualche cosa ed esco. (*Si ritira*).

RIVOLTOSO   Perché? È nuda?

ALTRO   Che discorsi... vuoi che nasca vestita?

Dal ventre del Pupazzone esce una gamba nuda di
donna.

GESÚ GESÚ   Nasce di piedi... Parto difficile...

CORO   Oohh. Oohh!!...

Esce dal ventre del Pupazzone la Ragazza. È piuttosto
formosa. Ha una gran gonna tutta pizzi e merletti, oro,
argento, rosa e verde veronese che le arriva fino ai piedi: è la Borghesia-Confindustria.

BORGHESIA   Non fatemi del male... vi prego... io non
c'entro...

GESÚ GESÚ   Che partone!

RIVOLTOSO   Sarà di sicuro l'annata dell'abbondanza questa!

PRIMO CAPO   Eh no, qui non ci vedo chiaro... che ci facevi
lí sotto? Chi sei?... parla altrimenti... (*Fa il gesto di tra-
figgerla con la pertica*).

GESÚ GESÚ   No, aspetta... infilza il Pupazzone... che la
povera orfanella me l'affiglio io!

PRIMO CAPO (*lo scansa*)   E vattene! (*Rifà il gesto di in-
filzarla*).

Una voce maschile esce dal ventre della Borghesia.

VOCE MASCHILE   Ferma!... io non c'entro... pietà.

GESÚ GESÚ   La voce è uscita dal ventre della neonata... È
nata già incinta!

PRIMO CAPO   Ma che è?... la scatola cinese?

BORGHESIA   Mio Dio... che impressione... questa voce!
Ho paura!

DONNA   Oh povera figliolona... chi è quel mascalzone che
ti ha... La levatrice! stavolta bisogna proprio chiamarla!
(*Chiamando*) Maria...!

PRIMO CAPO   Zitti!... o impazzisco... fuori di là sotto...
conto fino a tre e poi...

DONNA RIVOLTOSA   Per favore gli uomini si voltino almeno dall'altra parte... (*Anche i manichini che riempiono
la scena vengono fatti voltare*). Poverina, non ha fatto
nemmeno in tempo ad affacciarsi alla vita che eccola già
mamma... non c'è piú religione! Maria...!

PRIMO CAPO   Fuori ho detto.

Dal ventre della Borghesia-Confindustria esce il Generale. È di piccola statura. La sua divisa è confezionata
con frammenti di stoffe da tappezzeria, di varie epoche.
Sul viso porta una maschera glabra e rinsecchita.

GENERALE   Va bene giovanotto! Eccomi... non c'è bisogno
di gridare!

La Borghesia-Confindustria sviene.

CORO   Un generale?!

GESÚ GESÚ   E io che credevo che i generali nascessero dai
colonnelli!!

PRIMO CAPO   Ma bene eccellenza!... che ci facevate tra
quelle sottane?... non mi direte che vi ci siete alloggiato

per un equivoco... che avete scambiato la gonna della ragazza per una tenda da campo...?

GENERALE   C'è poco da fare dello spirito ragazzo... lí sotto c'è installato infatti il nostro quartier generale segreto, mimetizzato per non dare nell'occhio!

GESÚ GESÚ   Eh no, adesso sei tu eccellenza che non devi sfottere, se no ti facciamo le greche anche sul culetto a forza di pedatoni... Che ci facevi lí sotto... parla!

GENERALE   Segreto militare... non posso parlare... omissis, come si dice!

GESÚ GESÚ   Allora tie'! (*Gli sferra un calcione*) L'hai voluto!

GENERALE   Vergogna! disonore... patria gettata nel fango... si colpiscono gli alti rappresentanti dell'esercito in quello che hanno di piú sacro... (*altro calcione del rivoltoso*) ...l'onore! (*Altro calcione*). Ahia! Eh no, proprio sul sacro... e poi con la suola a carro armato, per la miseria!

RIVOLTOSO   Se devo farti la greca! per forza!

PUPAZZONE   Bravi, fate bene... massa di traditori! Largo che glielo mollo anch'io un bel calcione... (*Fa per muoversi ma un rivoltoso gli sferra un colpo di bastone sul piede*).

GESÚ GESÚ   Fermo lí, vecchia baldracca!

Urlo da dentro il ventre. Esce saltellando un personaggio con un gran pancione, con tight fatto ancora di pezze scompagnate a fioroni da tappezzeria. Ha una bombetta in testa.
È il Capitale. Anche lui porta una maschera, grassoccia e imponente.

CAPITALE   Ahiuoia!!! eh no! che c'entro io?... Il piede è mio, mica suo! Mamma che male boia!

CORO   Un altro neonato?

GESÚ GESÚ   Baldracca vecchia, ma prolifica, però!

PRIMO CAPO   Sbaglio, o tu sei quel tale che per primo ha tirato fuori i soldi per montare 'sto gran Pupazzone?...

GESÚ GESÚ   Sí, è proprio lui... largo largo che gli spacco la testa. (*Fa per sferrargli una mazzata col bastone ma il capo lo blocca*).

PRIMO CAPO   Fermo! (*Gli sposta il bastone che per il contraccolpo va a sbattere sul ventre del Pupazzone*).

Altro grido di dolore. Dal ventre del Pupazzone esce un altro personaggio vestito con ritagli di addobbi e paramenti sacri. È il Vescovo. Si tiene le mani sugli occhi. Maschera tronfia e ben pasciuta.

VESCOVO   Aiuto... al lupo... al lupo... picchiano il pastore... pace! pace!... per tutti i santi, che botta! Sono orbo... orbo dell'unico occhio buono... come potrò condurre il mio gregge?

GESÚ GESÚ   Pure un santo pastore?... ma è un pupazzo senza fondo!

PRIMO CAPO   Vuoi vedere che in quel ventre ci ha pure le pecorelle?

GESÚ GESÚ   Gli Agnelli vuoi dire... quelli delle automobili... Senz'altro!

VESCOVO   Perché mi avete colpito? (*Indica il Pupazzone*) Io stavo lí dentro solo per trattare la sua resa... mediatore sono!

VOCE DONNA (*dal di dentro del Pupazzone*)   Per carità eminenza non ci lasciate soli, con questo buio!

ALTRA VOCE (*dal di dentro del Pupazzone*)   Maestà non uscite, è pericoloso! È piú sicuro qui!

REGINA (*sempre parlando dal ventre del Pupazzone*)   Mi spiace ma in questo tanfo non ci resto piú.

Con molto sussiego esce dal ventre del Pupazzone la Regina, seguita da suo figlio il Principe e da due manichini vestiti da Cortigiani. Anche questi personaggi sono vestiti con frammenti di tessuti damascati, dai disegni e colori volutamente scombinati.

GESÚ GESÚ   La regina e tutta la sua corte!

Il gruppo dei popolani si assiepa in un angolo del palcoscenico. Ognuno regge due pupazzi per dare l'impressione di una grande folla anonima. Brusio concitato di ammirazione. Squilli di trombe.

PRIMO CAPO   Invece di farlo partorire il Pupazzone, sarebbe stato meglio farlo andar di corpo.

GESÚ GESÚ   Non diciamo volgarità eh... i reali non si toccano... Non hanno colpa... non sapevano... amavano il popolo, almeno una volta all'anno. Il re poi era contrario al regime... l'hanno fatto imperatore contro la sua

volontà... ha pianto... non dimentichiamo che era piccolo, molto piccolo per la sua età, ciononostante andava a cavallo!

Il Pupazzone svuotato dai personaggi che lo sostenevano si affloscia lentamente.

DONNA RIVOLTOSA   Guardate il Pupazzone come s'è sgon-
fiato tutt'a un tratto!

CORO   Ooooohh...!!

PRIMO CAPO   Per forza! non c'è piú nessuno che lo regga
adesso!

REGINA   Grazie a Dio siamo liberi finalmente...

PRINCIPE   Per vent'anni ci siamo rimasti... è spaventoso!

GESÚ GESÚ   Ah... eravate prigionieri là dentro?

REGINA   Sí.

RIVOLTOSO   Come Pinocchio nella balena?

GESÚ GESÚ   Che vi dicevo... loro se la sono passata peggio
di noi... schiavi di quel mostro di fantoccio... Povero
re... povero industriale... povero pastore... povero generale, povera signora agraria... trascinati e sballottati
di qua e di là... come su una barca in tempesta, dentro
una mongolfiera impazzita... cosí delicata di stomaco che
è la regina...!

VESCOVO   Per non parlare del caldo che fa là dentro. (Si
sventola).

PRIMO CAPO   Basta, se no scoppio a piangere... Sai che
facciamo per fargli venire un po' di freddo?... li mettiamo tutti al muro e non se ne parla piú!

PUPAZZONE (con un fil di voce)   Sí, al muro, metteteli al
muro 'sti traditori...

CORO RIVOLTOSI   Al muro presto... al muro...

CAPITALE   Ma dico... spero che scherziate...

VESCOVO   Non vorrete fucilarci davvero...

REGINA   Contro a un muro poi...

GESÚ GESÚ   Giusto!... Una regina non la si mette al muro
nemmeno per fare all'amore!

CAPITALE   Che abbiamo fatto dopo tutto?

PRIMO CAPO   I pupazzari avete fatto, 'sto mammozzo ve
lo siete portato in giro come il santo patrono in processione, finché vi ha fatto comodo: «Tutti in ginocchio
che questo fa i miracoli... date il vostro obolo o v'arriva
'na disgrazia...»

PRINCIPE   Non è vero... menzogna! Vogliamo un proces-
    so regolare...

CAPITALE   Voglio una sentenza di un tribunale civile.

VESCOVO   Io voglio quella della Sacra Rota.

GENERALE   Anch'io voglio un processo... possibilmente a
    Roma.

PRIMO CAPO   A Roma eh?... ti piacerebbe... e già, lí sei
    sicuro che ti assolvono, anzi poi ti presenti alle elezioni
    e ti fanno pure senatore [1] e noi ci becchiamo due anni a
    testa come minimo. (*A un rivoltoso*) Vai a prendere dei
    fucili, dieci fucili e relativi caricatori.

REGINA   E anche delle bende che dovrò medicare i feriti.

VESCOVO   Oh basta! con tutte queste emozioni, 'sti spa-
    venti... m'è venuto un caldo... uffa! (*Si sventola*).

Vengono spinti tutti contro il muro. Da sotto il corpaccione del Pupazzo si sente una voce maschile, isterica e
prepotente.

VOCE UOMO   Bastardi maledetti, ve la siete data a gambe
    come al solito eh?

VESCOVO   Chi è?

PRINCIPE   È il re... ce lo eravamo dimenticato...

REGINA   È tanto piccolo!

GENERALE   Presto che soffoca!

GESÚ GESÚ   Il re... il re... oh che commozione... aiutiamo
    il re...!

PRIMO CAPO (*scansandolo*)   E lascia che si arrangi un po'!

GESÚ GESÚ   No! Non posso dimenticare: lui m'ha insigni-
    to della croce di guerra... nel '15-'18... a me e al mio
    mulo... non posso dimenticare... vedi... mi viene già la
    lacrima...

BORGHESIA   Evviva il re...!

CAPITALE   Prego sacra maestà... da questa parte.

Esce dal Pupazzone il Re aiutato dal Capitale e dal
Principe. Il Re non è un attore ma bensí una marionetta manovrata da tutti i personaggi che gli stanno intorno. Indossa la divisa militare. Gesú Gesú gli presta la
voce.

---

[1] Si allude al generale De Lorenzo del Sifar.

RE   Adesso mi spiegherete che cosa è successo... dove sono i miei soldati?

GENERALE   Vedete maestà... dal momento che abbiamo
perso la guerra...

RE   C'era la guerra?... che guerra?

REGINA   La grandissima guerra mondiale, caro... non te
ne eri accorto?

RE   Come avrei potuto accorgermene?... Mi avete sempre
tenuto dentro al palazzo reale... cinquanta camere piú
servizi, parco con piscina... mai bombardato, mai sceso
in rifugio, nessun morto in famiglia, nessuno dei miei
figli richiamato al fronte... ho sempre mangiato tutti i
giorni, senza restrizioni, senza tessera, sempre pane bianco... digestione ottima... Come avrei potuto vederla
'sta guerra io?

GENERALE   Be', ad ogni modo c'è stata e l'abbiamo persa,
purtroppo!

RE   Chi l'ha persa?

REGINA   Tutti noi caro!

RE   Anch'io?

GENERALE   Siete il re!

RE   Sono il re?

REGINA   Ma certo caro, e per volontà di Dio!

RE   Ma come?... Dio in persona avrebbe voluto che io?...
Ecco la prova definitiva che Dio non esiste!

REGINA (*dà un gran schiaffo al Re che cade a terra*)   Non
bestemmiare, ti prego!

RE (*si rialza*)   E sí che bestemmio invece... ma come: mi
si viene a dire che ho perso una guerra, cosí, come se si
trattasse di una partita a briscola... ho perso i miei qua-
rantacinque palazzi residenziali...

CAPITALE   No, quelli non li avete persi, sono vostra proprietà privata, non della nazione.

RE   Ah be'... però la mia collezione di monete antiche...
valore numismatico incalcolabile...?

VESCOVO   Nemmeno. Roba vostra, privata...

RE   E i terreni?

REGINA   Roba di famiglia caro, non possono toccarcela...

RE   E le azioni?... i liquidi in banca nazionale, Svizzera,
Inghilterra, Vaticano, America, Australia?!

CAPITALE   Sono sempre là, a vostra disposizione... intat-
ti, anzi, capitale raddoppiato!

RE   Capitale raddoppiato? E allora imbecilli, (*sferra un calcio sullo stinco del Generale*) dov'è che avrei perso la guerra io?

CAPITALE   Be', infatti, per quanto riguarda noi tutti, è soltanto un modo di dire...

RE   Ah be', se è soltanto un modo di dire... diciamolo pure. «Ho perso la guerra... ah ah che piacere mi fa... ah ah!» (*Si arrampica felice sulla pertica di un rivoltoso*).

CAPITALE   Per carità, evitate di dimostrarlo pubblicamente il vostro rammarico, sacra maestà, altrimenti il popolo mangia la foglia...

RE   Cretino, il popolo la foglia non la mangia mai: il popolo è bue, mangia solo l'erba! ah ah è buona.

Il Popolo ride amaro. Solo la donna popputa, la Borghesia, ride stupida.

BORGHESIA   Ah... ah... che bella!... Che re simpatico!

RE (*eccitato, abbraccia la popputa*)   Ed essendo bue è pure cornuto... ah ah... (*Ride*).

BORGHESIA (*ridendo*)   Basta maestà... basta che me la faccio sotto...

REGINA   Andiamo!... Un re che si mette... Ti sembra dignitoso?... Con quella sguaiata poi!

RE   Va bene, va bene... (*Scende dalla pertica*) Ma che facciamo qui, fermi, impalati davanti a 'sto muro... aspettiamo il tram? Ehi dico a voi... che aspettiamo?

GENERALE   La fucilazione, maestà!

RE   Bene, bravi! Mi piacciono le fucilazioni... dànno nerbo, perdio! Mi ricordo a Caporetto... che decimazioni!... Dolorose, ma necessarie, indispensabili! Bravi!... E chi fucilano?

GENERALE   Noi, maestà.

RE   Ah bene! Anch'io?

CORO   Certo maestà.

RE   Impossibile!... e perché poi? Su ordine di chi? Con che diritto?! Senza la mia autorizzazione scritta e firmata non possono... e poi chi sono quelli?

GENERALE   Ribelli, maestà.

RE   Ribelli? (*Realizzando spaventato*)   Mamma i ribelli... e che cosa vogliono da me?... Io sono piccolo...

GESÚ GESÚ   Ecco, avete visto... abbiamo fatto piangere il re! Vergogna!!

PRIMO CAPO   Gesú Gesú, stai zitto o ti mettiamo al muro

con loro. Ma quando arriva quello con i fucili? (*Di corsa entra dal fondo-sala il ragazzo-staffetta*). Eccolo che arriva finalmente!... E i fucili?

STAFFETTA   Niente fucili... adesso te lo dice il capo il perché.

Arriva dal fondo un ribelle dall'aria decisa. È il secondo capo.

SECONDO CAPO   Non possiamo fucilare nessuno per adesso... prima dobbiamo fare il referendum per la repubblica, poi si vedrà.

PRIMO CAPO   Ah, poi si vedrà... e va bene, si porteranno a casa la pelle... ma con i segni però... (*Fa per sferrare un calcio ai personaggi del Potere*).

SECONDO CAPO   Fermi!...

RIVOLTOSO   Solo pedate!

SECONDO CAPO   Be', pedate...

CORO   Andiamo a metterci gli scarponi. (*Si mettono in ordine di battaglia. S'infilano grosse scarpe*). Carica!

RE   Avete sentito? Qualcuno ha gridato carica... È la mia cavalleria... arrivano i nostri... forza Pinerolo... lancieri Novara... Caricaa! sforacchiatemeli tutti 'sti bastardi... 'sto popolo bue e cornuto!!

REGINA   Calmati caro... sai che ti fa male agitarti cosí... ti vengono le scalmane, sudi... ti viene il raffreddore... poi 'eccí, sternuti, ti ripieghi di scatto in due, e bang! sbatti immancabilmente la fronte sul pavimento!

RE   Va bene, va bene... allora 'sti nostri, arrivano o no?

VESCOVO   Altro che nostri... sono i loro che caricano...

RE   Chi i loro?

BORGHESIA   (*sghignazzando scema*)   Il popolo bue maestà... che adesso pare un toro...

VESCOVO   E che facce cattive hanno! Uffa... il caldo!...

RE   Buoni... state fermi... non fate capire di aver paura... sangue freddo perdio. Lasciatemi montare su questo palo. (*Si arrampica sul corpo della Regina e si siede cavalcioni sulle sue spalle*) Salgo in vedetta...

PRINCIPE   Diamogli in pasto il Pupazzone... forse per un po' li terrà calmi...

REGINA   Questa è un'idea... sbrigatevi...

CAPITALE   Vieni bello... il popolo ti chiama...

PUPAZZONE   No, no... dove mi portate?... vigliacchi!

REGINA (*al Pupazzone*)   Scappi cavaliere,... scappi!!!

PRINCIPE   Attenti ribelli... guardate, il Pupazzone sta scappando!

Muovendosi a malapena sul suo corpaccione vuoto, come una vela controvento il Pupazzone sta per squagliarsela, il capo ribelle gli è addosso e lo infilza con una pertica appuntita.

CAPO RIBELLI   Adesso hai chiuso!

Sibilo struggente, suono di fanfare che si fa cupo e stonato come un disco che rallenta di velocità, dal ventre esce un fumo giallastro. Urlo delle donne. La luce si abbassa lentamente.

VESCOVO   Basta con la violenza!... non siete ancora sazi di sangue?

PRIMO CAPO (*frugando nel ventre del Pupazzo*)   Macché sangue... a parte il fumo, questo è pieno di carta... carta di giornali...

CORO   Che giornali?

PRIMO CAPO   Eccoli qua. (*Con voce da venditore di strada estraendo e mostrando i fogli che la gente afferra al volo*) «Corriere della Sera»... «La Stampa»... «La Nazione»... «Il Tempo»... «Il Messaggero»... Oh tu guarda... c'è anche «Il resto del Carlino»... chi l'avrebbe mai detto...!

VESCOVO   Per favore vi dispiace guardare se vi riesce di trovare un foglio dell'«Avvenire d'Italia» o dell'«Osservatore Romano»... mi sventolerei con maggiore soddisfazione!

PRIMO CAPO   No, con quelle diciture non ce ne sono...

VESCOVO   Nooo... eppure ci devono essere... cercate, cercate...

PRIMO CAPO   Ecco chi lo teneva tanto gonfio... (*Sventola i fogli estratti dal ventre*).

CORO   Al fuoco... facciamo un bel falò!...

GESÚ GESÚ   Sí, ma sopra bisognerebbe metterci quelli che li scrivevano... e li stampavano...

VESCOVO   Basta, fratelli... basta con le vendette, con le distruzioni...

REGINA   Basta con il sangue sparso dei fratelli.

CAPITALE   Vogliamoci bene, andiamo d'accordo, tiriamo
a campà!

GESÚ GESÚ (*seguito dal coro di tutti in una specie di orazio-
ne danzata*)   Vogliamoci bene, andiamo d'accordo, tiriamo a campà!

Si continua a estrarre carta.

BORGHESIA   Ouhoo ma quanta carta!... non era il nostro
uomo di paglia allora... era l'uomo di carta... ihi ih ih.
(*Risata stupida*).

GESÚ GESÚ   Guardate, oh Gesú Gesú... buoni del tesoro...
prestito nazionale...

PRIMO CAPO   Non valgono piú niente... non ti resta che
bruciarli... è stata una delle tante bidonate! (*Glieli strappa di mano*).

GESÚ GESÚ   No, queste no... Sono azioni commerciali...
valgono piú di prima.

PRIMO CAPO   Non me ne frega niente... si bruciano anche
queste... sul falò... Si brucia tutto... Un gran falò!

VESCOVO (*sventolandosi*)   Oh no... c'è già un gran caldo!

REGINA   Pace, pace... e buona volontà.

CAPITALE   Bisogna ricostruire... abbiamo sofferto già fin
troppo... chi piú chi meno... siamo tutti nella stessa barca...

GESÚ GESÚ   Vogliamoci bene, andiamo d'accordo, tiriamo
a campà!

PRINCIPE   Bisogna darci una mano, da buoni fratelli!...

RIVOLTOSO   Macché buoni fratelli del porco giuda! Pietà
l'è morta!

Si alza lentamente la luce.
I personaggi che rappresentano il Potere cantano danzando:

CORO POTERE
Vogliamoci bene,
andiamo d'accordo,
tiriamo a campà.

I ribelli avanzano minacciosi e sormontano il canto del
Potere fino a coprirlo con una strofa del *Canto dei Ribelli*. Luce piena.

RIBELLI
   È morta la speranza,
   cambia la danza, cambia la canzon.
   Pietà l'è morta.
   Adesso comincia la rivoluzion!

Gran carosello di pupazzari che scappano scomposta-
mente e si raggruppano in un angolo del palcoscenico.

GENERALE   Maestà, ci conviene riparare dietro le linee,
farci difendere dai nostri alleati...
RE   Giusto, andiamo verso il Nord!
GENERALE   No maestà, al Nord ci sono i nostri nemici...
RE   Da quando i crucchi sono diventati nostri nemici?
GENERALE   Da quando hanno incominciato a prenderle,
sacra maestà... noi siamo sempre con quelli che vinco-
no, è il nostro motto!
RE   Giusto... evviva la perfida Albione!
GENERALE   Per questo dobbiamo andare al Sud.
PRINCIPE   A Bari! La piccola Parigi!
VESCOVO   Oh no... A Bari, con quel caldo che fa...
REGINA   Che umiliazione, che vergogna... abbandonare
cosí il nostro popolo...
RE   Eh, ma se non lo abbandoniamo quelli ci menano.
REGINA   Possibile che non ci sia il mezzo per farli sbollire?
VESCOVO   Ci vorrebbe un miracolo.
PRINCIPE   Forza vescovo, dovrebbe essere il vostro me-
stiere, no?... La vostra specialità.
VESCOVO   Non bestemmiare per favore!... Preghiamo tut-
ti insieme piuttosto.
RE   Sí, preghiamo perché venga un bel terremoto...
CORO   Un terremoto?
RE   Sí... un bel disastro... un cataclisma con qualche mi-
gliaio di vittime che ci permetta di organizzare una bella catena della solidarietà umana... della fratellanza... in
quelle occasioni, di colpo, si sentono tutti buoni, all'i-
stante il popolo dimentica ogni risentimento... il re che
sono io, e la regina che è quella là, si recano sul luogo
del disastro a consolare i poveri sopravvissuti disperati... io mi bacio un paio di orfanelli. La regina si mette a
piangere, io mi faccio sgorgare un paio di lucciconi davanti al cinegiornale... e trac il gioco è fatto. La nazione
commossa si stringe intorno al padre della patria e zan,

zan la rivoluzione è sospesa! (*Tutti piangono presi dalla narrazione del Re*). Si aprono sottoscrizioni... arrivano pacchi dono, coperte, medicine... arriva roba da tutto il paese e anche da fuori... si raccolgono indumenti usati e facciamo guadagnare qualche soldo alla croce rossa che li può rivendere come al solito come stracci.

CAPITALE   Tenga, do tutto quello che posso... con tutto il cuore... è un assegno... è coperto... si fidi!

BORGHESIA   Io offro la catenina d'oro, un gioiello di famiglia.

REGINA   Io do il mio anello di matrimonio...

PRINCIPE   Ma, mamma, non l'avevi già dato alla patria quello?

REGINA   Zitto cretino! (*Schiaffo*).

VESCOVO   In questo doloroso momento bisogna che tutti ritroviamo, uniti, attraverso la preghiera, nel nostro profondo, i sentimenti piú... come dire... con 'sto caldo...

CORO   Signore, signore, perché ci hai voluti mettere un'altra volta alla prova? Abbi pietà, pietà di noi, signore!

RE   Ma cosa è successo?... ehi dico?

Si avvicinano dei rivoltosi incuriositi.

GESÚ GESÚ (*chiede al Re*)   Perché piangono?

RE   E che ne so... sto appunto chiedendo... (*Qualche donna dei rivoltosi scoppia a piangere a sua volta contagiata; per emulazione altri la imitano*). Perché piangete... ehi dico a te.

GESÚ GESÚ   Non lo so... pare ci sia stato un terremoto... molte vittime... bambini, molti orfani... catena della solidarietà... tutti donano.

Le prossime battute verranno dette dagli attori col tono classico degli inviati speciali TV.

ATTORE   Un cieco ha regalato il suo cane... un cane di razza!

ALTRO ATTORE   Un pensionato ha regalato tutta la sua pensione di un anno...

GESÚ GESÚ   Io do il mio cappello, le mie scarpe... pure i pantaloni... io tutto do. Gesú Gesú...

Tutti si levano gli scarponi per donarli.

ATTORE   Il re ha regalato cento divise da corazziere... ma ha voluto restare anonimo!

ATTORE   La regina... trenta cappelli con piume di struzzo... un amore!

ATTRICE   Un bambino il suo trenino...

ATTORE   Una bambina il suo orsacchiotto...

ATTRICE   Operai della fonderia BTM. offrono una settimana di paga.

ATTORE   Erano in sciopero ma sono tornati al lavoro accettando il vecchio contratto, pur di venire in aiuto alla popolazione colpita!

Soffiate di naso spernacchianti.

GESÚ GESÚ   Gesú, Gesú!

REGINA   È meraviglioso!!! meraviglioso!!!

VESCOVO   Gli uomini sono buoni... si amano... sono fratelli nel dolore...

BORGHESIA   Evviva la sciagura che ci affratella!

GESÚ GESÚ   O Gesú, Gesú, che commozione!

ATTRICE   Si hanno notizie dei superstiti?

ATTORE   No, non si sa nemmeno bene dove sia avvenuto il disastro...

ATTORE   Deve essere nel Polesine...

ATTRICE   Ah... ma è un'alluvione allora...

ATTRICE   Certo, se fosse stato un terremoto avrei detto Sicilia, le pare?...

ATTORE   Certo, è lapalissiano...

ATTRICE   Chi è lapalissiano?

ATTRICE   Il terremoto!

ATTORE   Ah, non viene dalla Sicilia, allora, se è lapalissiano...

ATTORE   Ma Lapalisse è un nome francese...

ATTORE   Esatto!

ATTORE   Ascoltate, ascoltate... il terremoto è avvenuto in Francia... non da noi...

GENERALE   E no, perdiana! Questa non ci voleva!

GESÚ GESÚ   Oh Gesú, Gesú...

CAPITALE   Che scalogna!

BORGHESIA   Piangevo cosí bene...

PRIMO CAPO (*ridendo*)   Ah ah... mica tutti i terremoti riescono col buco!... be', stavolta vi è andata male col piagnisteo... e adesso forza, dateci indietro i nostri scarpo-

ni e preparatevi moralmente, che fra poco vi veniamo a
fare un bel massaggio rassodante! Tutti al muro!

RIVOLTOSO   Avanti muoversi, faccia al muro...

I Notabili obbediscono.

CAPITALE   Presto, aiutatemi prima che se ne accorgano.
(*Armeggia intorno al Pupazzone aiutato dai Notabili*).

Il Pupazzone – la sola testa enorme con attaccato il lungo abito – viene tirato giú dal trespolo che lo sosteneva,
e disteso.

RE   Ma che fate?

CAPITALE   Raccogliamo le spoglie del Pupazzo, maestà...

RE   Per farne che?

GENERALE   Ci può sempre venire buono un'altra volta...

RE   Ma se è morto cadavere...

GENERALE   Fuori... ma dentro è ancora vivo che è un piacere... le sue leggi, per esempio, quelle che ha fatto nel
'21, resistono e come!

REGINA   Per non parlare di quelle di pubblica sicurezza...
quelle poi, chi le tocca? Chi le muove piú! scommetto
che fra quarant'anni saranno ancora lí, piú vive che mai!

GENERALE   Almeno fosse vero...

CORO POTERE   Mio Dio stanno arrivando...

REGINA   Mostriamo loro la nostra forza d'animo, la nostra
dignità... sotto i loro colpi non battiamo ciglio... vedrete, si scoraggeranno.

CAPITALE   Se ci dessero un po' di tempo, io 'sto Pupazzone riuscirei a truccarvelo che è una meraviglia! Gli diamo una bella imbiancata... e poi se la curia ci dà una
mano...

VESCOVO   Se è per una mano, ben volentieri... e da che
cosa lo trucchereste?

CAPITALE   Da Arcangelone...

REGINA   Arcangelo Gabriele?

BORGHESIA   Quello che ammazzava il drago? Oh che bel
giovane, biondo, simpatico, affascinante...

I rivoltosi hanno incominciato a sferrare pedate ai pupazzari che imperterriti continuano a conversare effet-
tuando a turno, previo calcione, vistosi sussulti masche-

rati con dignitosa indifferenza. Le donne nobili saranno servite dalle donne rivoltose.

VESCOVO   E con l'arcangelo trionfante inchioderemo finalmente il drago bolscevico. (*Viene colpito da un calcione. Sussulta*) Uffa!... non si scoraggino... che caldo!

RE   A che gioco state giocando?

GENERALE   Che magnifico duello sarebbe... il drago rosso avanza, l'arcangelo con la lunga lancia si butta... solleva il braccio possente a colpire. (*Riceve un calcione*). Colpito!

RE   Ma cos'è: un gioco nuovo o è ancora il terremoto?

REGINA   Purtroppo sono soltanto sogni... purtroppo non c'è il tempo di truccarlo quel Pupazzone... e intanto il proletariato incalza... (*Pedata. Sussulta*) Oehu come incalza!

RE   T'è venuto il singhiozzo cara?

REGINA   No, è il proletariato che incalza... che botta!

RE   Dove?

REGINA   Qui, sul gluteo... un male!... Ti dispiacerebbe massaggiarmi un po'?

RE   Con piacere... speriamo che non lo venga a sapere mia moglie...

REGINA   Ma sono io tua moglie...

RE   Ah sí?... Be', mi fa piacere... (*Salta in braccio alla Regina*).

REGINA   Stupidino!

I rivoltosi si avvicinano per calciare il Re.

GESÚ GESÚ (*mettendosi tra i rivoltosi e il Re*)   No, no... lui no!... se volete calciare lui... dovrete passare sul mio gluteo... col quale farò petto... voglio dire... scudo, all'offesa.

RIVOLTOSO (*gli dà un calcio*)   E vai via!... Ma si può sapere con chi stai tu?

GESÚ GESÚ   Io sono monarchico-marxista. Evviva le nostre sacre maestà!... Evviva Lenin primo! Evviva Stalin imperatore! (*Viene calciato*).

REGINA   Basta. Facciamo il referendum, le votazioni! Vedrete, ci rieleggeranno. (*Al Re*) Avanti abdica...

RE   Scusate... scusate, in favore di quale figlio dovrei abdicare io? Andare in esilio?

REGINA   Ma caro, di lui, del nostro unico figlio...

Il Principe viene calciato.

RE   E lui... ah ah... quello dovrebbe salire al mio posto,
concorrere al referendum «monarchia o repubblica»? e
chi lo elegge... chi gli dà il voto con quella faccia da bal-
lerino stanco con la puzza sempre sotto il naso che si ritrova? per me dev'essere pure un po' di sponda... come
mi sta antipatico! portatemelo via se no gli sputo addosso... spt spt... ti graffio!!!

Serie di calcioni al Principe e agli altri.

REGINA   Cattivo! Sei cattivo ecco!! D'accordo, non c'è riuscito tanto bene 'sto figlio, l'ammetto, ma non mi sembra il caso di umiliarmi cosí davanti a tutti... e poi io sono sicura che riusciremo egualmente a farci eleggere...
l'hai detto anche tu che il popolo è bue... Guardalo!
RE   Sí, è bue, e crede di essere furbo!

I rivoltosi hanno finito di calciare i personaggi del Potere. Si massaggiano i piedi. Zoppicano.

VESCOVO   Avete visto, se ne sono andati. Si sono stancati
di dare i calci.
GENERALE   I loro piedi volgari si sono scontrati con il no-
stro fiero comportamento, che alla fine ha vinto...
BORGHESIA   Non so voi, ma io ho il mio fiero comporta-
mento che è tutto un blu... fa un male...
RE   Fa' vedere!
GENERALE   Non le dico il mio...
RE   No, il tuo non lo voglio vedere.
REGINA   Presto, prima che ritornino... diamoci da fare at-
torno al Pupazzo...
RE   Sí, diamoci da fare, diamoci da fare.
CAPITALE   Se la curia ci aiuta come promesso...

Il Pupazzone viene rimontato sul trespolo e posto al
centro della scena. I rivoltosi entrano in processione
portando e in mano e addosso gli elementi via via cita-
ti, elementi che il Capitale e il Vescovo useranno per
addobbare il Pupazzone.

VESCOVO   Ma certo... comandi... Posso procurarvi veli bianchi da processione col pizzo, cera di candela per ri-fargli la faccia...

CAPITALE   Ottima la cera...

GENERALE   Io posso imprestarvi la mia spada...

CAPITALE   No, meglio lasciargli il bastone che aveva pri-ma... si adatta di piú con il casco da poliziotto che gli metteremo adesso per fargli da elmo.

REGINA   Che belle ali! Possono servire?

PRINCIPE   A me, a me, le ali!

CAPITALE   (*gli sferra un calcio*)   Buono principe...

PRINCIPE   Ahiua!

REGINA   E no eh?! (*Rivolta al Re*) Vedi cosa succede a mancare noi per primi di rispetto ai nostri figli? Avanti, sbrigati...

RE   A far che?

REGINA   Ad abdicare...

RE   No, mi dispiace, ma io non abbandono il mio popolo che mi ama...

REGINA   Ti ama?

RE   Sicuro... credi forse che il mio popolo possa dimenti-carsi del gesto nobile ed eroico che ha compiuto il suo re?

REGINA   Quale gesto nobile ed eroico?

RE   Ah non ve lo ricordate? E poi dite di me che sono smemorato... Sto parlando del gesto che ho compiuto il giorno in cui i tedeschi invasori diedero l'ordine affin-ché tutti gli ebrei del paese circolassero con la stella di Davide cucita sul petto... ebbene quel giorno per primo mi appuntai quel marchio discriminatorio sulla giacca... e uscito fra la folla gridai: «Anch'io – il vostro re – da questo momento sono un ebreo!!! Un piccolo ebreo!»

BORGHESIA   È bello... è bello... che gesto meraviglioso... chi l'avrebbe mai detto un gesto cosí grande da un re cosí piccolo!

REGINA   Ma no... caro... non sei stato tu a compierlo quel gesto...

RE   Ah no... e chi allora?!

REGINA   Ma il re di Danimarca... lo sanno tutti!

RE   Il re di Danimarca...? E già... per dio... adesso che mi ricordo è proprio a lui che ingenuamente sono andato a raccontare di questa mia intenzione di compiere il ge-

sto eroico suddetto... e lui mi ha rubato l'idea... che
ladro!

Entrano due Carabinieri.

CARABINIERI   Ai vostri ordini, maestà.
RE   Oh, i miei fedeli? Proprio poco fa mi sono ricordato
di voi a proposito di Caporetto... che fucilazioni...! Bravi... a chi sparate adesso?
CARABINIERI   Contadini, Maestà... vogliono occupare le
terre...

Entrano in scena alcuni contadini con vanghe e pale.

CARABINIERI   Fermatevi... andate via di lí!
CONTADINI   No, questa terra è nostra...
CARABINIERI   Chi ve l'ha venduta?
CONTADINI   È nostra perché da sempre la lavoriamo...
CARABINIERI   Oh, bella frase... ma purtroppo non fa con-
tratto... Fuori da 'ste terre o spariamo...
CONTADINI   No!
CARABINIERI   Che facciamo maestà?
RE   Facciamo cosí. In ricordo di mio padre, quello che si
pettinava all'Umberta che ne fece fucilare novantadue
in un sol giorno...
REGINA   Per carità... non prenderti 'sta brutta responsabi-
lità... è meglio che di decisioni importanti tu non ne
prenda piú...
RE   Come sarebbe...
CARABINIERI   Maestà, noi aspettiamo l'ordine!
REGINA   E l'ordine lui non lo può piú dare... perché ha ab-
dicato...
RE   Ho detto di no... io...
REGINA (*dà una «pacca» al Re da fargli calare il cappello
sino alla bocca*)   E sta' buono... vai in castigo, in casti-
go ho detto... (*Al Principe*) Da oggi sarai tu il nuovo re.
PRINCIPE   Grazie mamma, grazie babbo... sono re! sono
re!
CAPITALE   Silenzio... silenzio... c'è il referendum, stanno
facendolo proprio adesso...
PRINCIPE (*continuando a danzare ubriaco di felicità*)
... Sono re... sono re...

Entrano tre popolani e un Banditore con gong e mazza.
Batte sul gong e dice:

BANDITORE   Il popolo ha detto: REPUBBLICA!

PRINCIPE   Non sono piú re!... Che regno breve, però!!
(*Esce di scena*).

CARABINIERI   E adesso... da quale parte dobbiamo prendere gli ordini?

CAPITALE   Sempre da questa parte ragazzo fedele... vai...
tranquillo!

CARABINIERI   Sparo?

CORO POTERE   Certo!

CARABINIERI (*ai contadini*)   Fuori o faccio fuoco!

BORGHESIA   Posso vedere anch'io? Anche se non sono
ancora maggiorenne?

CAPITALE   Ma cara, per vedere ammazzare un contadino
mica ci vuole il visto di censura per i minori come al
cinema... non è mica una cosa amorale... anzi...

CONTADINI (*gridando*)   'Sta terra è nostra.

Sparo dei Carabinieri; un contadino cade a terra morto.
La luce si abbassa.

CARABINIERI (*andandosene*)   Adesso è vostra per davvero, vi ci potete pure seppellire. (*Escono*).

RE   Mamma che impressione!

Entrano in scena correndo alcune donne, hanno scialli
neri sulla testa. Urlano. Disperate si buttano letteralmente sul corpo dell'ucciso. L'urlo si tramuta in canto
funebre.

PREFICHE
Mare maje, e scure maje,
tu si morte e io che fazze?
Mo me sciatt'e e trezze 'n fazze,
mo m'accede 'n coll'e taje.
E mare ma' mare ma mare maje,
e scure ma' scure ma' scure maje,
mo m'acce' mo m'acce' mo m'acce'
'n coll'e ta' [1].

[1] Dolente ma scura no | Tu sei morto e io che faccio? | Adesso mi sbat-
to le trecce in faccia | Ora mi uccido sopra di te.

Alle prime note del canto funebre, sopraggiunge un tecnico annunciatore della radio che raccoglie il canto col
microfono; il canto viene cosí ritrasmesso amplificato
in sala.

TECNICO (*al microfono*)   State ascoltando un lamento funebre del Sud, un autentico genuino canto delle nostre
terre, com'è genuino e autentico il pomodoro pelato in
scatola della ARRICIRIO, la ditta che ogni giovedí a quest'ora vi offre un canto popolare registrato dal vivo. (*Il
canto continua per alcune note*). Abbiamo trasmesso dal
vivo: *Canto di morte*. Ascoltate ora...

DONNE CONTADINE (*insorgendo*)   Bastardi assassini, servi
dei pancioni.

TECNICO (*facendo gesti alla cabina*)   STOP! Chiudi! Chiudi!

Di colpo la voce si spegne. I contadini muovono la bocca senza che piú una parola arrivi in sala. Muti. E cosí
sempre gesticolando senza voce i rivoltosi avanzano verso i notabili. Camminano a passo rallentato, senza pro-
cedere, sul posto, come in una ripresa zummata. Il re
riesce a liberarsi del cappello. Dalla passerella centrale
che dalla platea porta al palcoscenico avanza un grande
Drago. Rappresenta l'allegoria del Proletariato in lotta.
Il Drago: la testa del Drago veste tutto il busto di un attore, e alla maniera dei draghi cinesi altri quattro attori
sostengono, all'interno della carcassa, dei semicerchi in
canna di bambú, ricoperti di tela dipinta che costituisco-
no il corpo del Drago. Sale lentamente la luce.

REGINA   Aiuto, il drago! Il drago! Bisognerebbe sacrifi-
cargli qualche vergine fanciulla.

GENERALE (*indicando la Borghesia*)   Lei, mandiamoci l'a-
graria dal drago.

BORGHESIA   Oh, no, io non sono piú vergine... Purtroppo
non lo sono mai stata... Ho paura, mi fa impressione...

REGINA   Vai cara, vai. Ti farebbero piú impressione le
otto ore di fabbrica...

PRINCIPE   Vai, lavoratelo bene il mostro!

CAPITALE   Forza cara... fammi fare bella figura... buttati,
è tuo!

REGINA Spogliati, via 'sta sottana. (*Le strappa letteralmente la gonna di dosso*).

Ruggito del Drago. Di colpo il ritmo si blocca. Il Drago
trattiene il respiro davanti al donnone in slip e giarret-
tiere. Ansimando il drago riprende ad avanzare. I rivoltosi si affacciano da sotto l'involucro. Qualcuno si pro-
tende fino ad uscire dal corpo del Drago nel tentativo di
raggiungere e accarezzare le immense cosce della popputa.

VESCOVO (*gridando*) Turpitudine, sensualità, decadenza
dei costumi, morbosità! Che caldo...
PRIMO CAPO (*affacciandosi dalla bocca del Drago ai compagni che gli stanno dietro*) In coda, in coda... chi ha detto di rompere le file... ritornate nei ranghi per dio... ri-
formare le cellule... disciplina!

Il Drago incomincia a scomporsi. I notabili trepidano
come ad un incontro di boxe; il Drago, ansimando, si riprende. Ogni tanto è percorso da sussulti e fremiti. Il
donnone si fa sempre piú languido, quasi baiadera si
struscia, si sdraia sul dorso del Drago alla maniera delle
esibizioni gitane. I notabili partecipano con gridolini,
battiti di mani, schioccare delle dita. Il Drago si erge
rampante, i due mimi di testa si mettono cavalcioni l'u-
no sulle spalle dell'altro. Il Drago rampante abbraccia la
popputa, accenna passi di danza. Lei si stacca carogna, riprende lo spogliarello; il Drago fuma, si mette una rosa
fra i denti, riagguanta la donna, si torce, avvolge il donnone in una spirale. Dieci mani la coprono.

REGINA (*commenta la scena facendo schioccare le dita con
la voce amplificata da un microfono*) Pulita, candida,
soffice, profumata, delicata, morbosa, morbida, tenera,
rateale, peccaminosa, calda, tiepida, fresca, umida, vel-
lutata, di seta, scivolosa, primaverile... proibita... tur-
gida... esagerata!

I pupazzari-gitani accrescono il ritmo e i gridolini, bat-
tono coi tacchi, eccitati a loro volta. Anche il Re si ec-
cita, saltella. Giunti al massimo del parossismo, di colpo, tutto si arresta. I ritmi si fanno languidi all'istante,

atmosfera di peccato, sospiri, melodie esotiche. Dall'alto cadono veli trasparenti, fatti ondeggiare per mezzo di cartoni sventolanti dai notabili. Entrano a catapulta due donne ribelli.

DONNA RIBELLE   Disgraziati, ma che fate, vi imbesuite per così poco?!

RIVOLTOSO   Non è così poco, è tanta! Oheu, com'è tanta!

SECONDA DONNA RIBELLE   Bravi, e vi mettete con la sporca borghesia, adesso?

RE   Taci spennacchiata...! Sarà sporca, ma è profumata... (sospirando) ahaaa!

RIVOLTOSO (da sotto il Drago)   E poi non è neanche sporca: è pulita... si lava!... si lava... ahaaa!

Le due Donne rivoltose escono.

CORO   Si lava! si lava! Ah come si lava!

Il capo esce dal Drago.

PRIMO CAPO   Basta, mi fate schifo! Sbavate come randagi infoiati!

REGINA   Forza cara, questo è il momento, lui è uno dei capi, è una delle teste grosse, devi fargliela saltare dal corpaccione!

PRIMO CAPO (respirando con fatica, attorniato com'è dalla Borghesia)   Che vogliamo fare? L'ammucchiata?

REGINA   Strusciati bella, portatelo via, che senza capoccia il Drago è spacciato.

PRIMO CAPO   Vogliamo l'orgia carnascialesca di massa? Amorali! Cosa abbiamo combattuto a fare, se poi non sappiamo rispettare nemmeno le regole civili? Vogliamo cedere alle lusinghe languide e oscene della grassa borghesia corrotta? (Sospiro del Drago). E va bene, cediamo,... siamo uomini dopotutto, ma facciamolo con dignità... disciplina... uno alla volta perdio! E il primo sarò io. (Così dicendo si strappa letteralmente i pantaloni e li getta alla folla) Tenete, issateli su una pertica e fatene una bandiera. E chi dirà che mi sono calato le braghe davanti alla borghesia... bene, ditegli che ha indovinato! ah, ah!

RIVOLTOSO   Traditore... venduto!

RE (*sghignazzando*) Era un socialista scommetto... ci ho
azzeccato. (*Esce abbracciato alla Borghesia*).
REGINA (*ricalcandogli il cappello sul viso*) E stai zitto
chiacchierone! Vuoi rovinare tutto?

Il donnone e il capo dei rivoltosi si vanno a sdraiare fra
grossi cuscini in fondo alla scena.

RIVOLTOSO   Traditore...!
RE   Però è già un bel tradire...

Il Drago senza una delle sue teste ciondola di qua e di là.

PRINCIPE   Il proletariato che perde la testa per una battona... questo, Lenin non l'aveva certo previsto...!
CAPITALE (*dà un calcio al Principe*) Nemmeno tu avevi
previsto questo. A chi battona, eh?
REGINA   Siete impazzito...? Ma io vi faccio...
CAPITALE   No, voi non potete farmi niente... perché non
siete piú niente adesso... evviva la repubblica!

La Regina si toglie l'abito regale, indossa a vista un altro costume. Da questo momento sarà l'Alta Finanza.
Dalla testa del Drago spunta un'altra testa.

ALTRO CAPO   Dove andate? restiamo uniti... seguite me!
RIVOLTOSO   No, basta, noi siamo stufi di fare il Drago... è
troppo impegnativo.

Alcuni escono dal Drago e se ne vanno.

CAPITALE   Vittoria! guardate che bello, il drago si è rotto
in due!
REGINA   Se va avanti cosí si sfascia del tutto.

Il Drago strascicandosi esce di scena sorretto da pochi
superstiti.
Gli attori, spogliatisi dal Drago, rientrano subito in scena. Stanno ammassati sul fondo, in atteggiamento atto-
nito e prostrato per la sconfitta.

VESCOVO   Ecco i figliol prodighi... ben tornati in parrocchia, cari, vi aspettavamo.

CAPITALE   Ed ora, da bravi, al lavoro!

Entra un Prete e afferra uno dei rivoltosi per un braccio.

PRETE   Venite via, non fatevi incastrare... non è in quella
parrocchia che dovete andare.

REGINA   Ma che fa, pure i preti si mettono a fare i sovversivi, adesso?

VESCOVO (*afferra il Prete per un orecchio*)   Devi imparare
caro che la politica non è per i preti, ma solo per i vescovi! Ora ti faccio un bel foglio di via e ti spedisco in una
bella chiesetta fra le capre a meditare. Contento?

Entra una Donna rivoltosa che vedendo gli uomini, che
come drogati vengono disposti in fila dal Capitale e dal
Vescovo, dice:

DONNA RIVOLTOSA   Ma che vi succede? Dove sono gli altri, dov'è il Drago? State male? Vi siete ubriacati eh?

CAPITALE   Sí, sono un po' rintronati ma è una sbornia che
si fa passare con niente. Su ragazzi, da bravi: un po' di
esercizio fisico vi guarirà! Via: uno, due, uno due...

Ha offerto loro dei pali con i quali incominciano a mi-
mare vari lavori: zappa, badile, vanga, la mola. Accom-
pagnano i gesti con una nenia cantata. In contrappunto
si odono i sospiri e i gemiti dei due amanti distesi sui
cuscini. Maggiormente amplificati sono quelli della donna.

DONNA RIVOLTOSA   Ma come, vi fate mettere sotto un'altra volta? Come prima? Imbesuiti!

VESCOVO   Non parlare cosí donna, guarda che è peccato!

DONNA RIVOLTOSA   E quelli, che stanno facendo là? (*Indica i notabili che armeggiano intorno al Pupazzo*) Stanno
rimontando il fantoccio, 'sti porci!

VESCOVO   Peccato mortale! Cosí impari!

GESÚ GESÚ   Gesú, Gesú... ma guarda come te l'hanno combinato il pupazzone: non pare manco piú quello di prima.

GENERALE   Infatti questo è un altro... non vedete ɛ
bianco?

REGINA (*sghignazzando*)   È bianchissimo. Strabianco, pʊ
ché usa prodotti Usa e contiene «LIBERTAS», ah ah!

Mugolio amplificato della donna popputa che fa all'a-
more. In primo piano, gli ex rivoltosi stanno lavorando
a un ritmo ossessivo. Al centro del palcoscenico i Notabili stanno riempiendo il ventre del Pupazzo con giornali.

CAPITALE   Presto con 'sti giornali, se vogliamo fargli il
corpaccione che lo tenga su...

GENERALE   Gli rimettiamo dentro tutti quelli di prima?

CAPITALE   Ma certo, tutti... date qui. «Corriere della Sera», «Messaggero», «Resto del Carlino»...

VESCOVO   ... «Il corrierino dei piccoli»?

CAPITALE   Vien buono anche quello... Oh... tu guarda:
c'è anche «l'Avanti!» stavolta... Che cosa vuol dire la
forza del potere!

Uno sull'altro vengono elencati i nomi di giornali, i piú
disparati mentre tutti ripetono in coro come una litania,
l'azione di riempire si affretta spasmodica.

VOCI   ... «Il Giorno», «La Voce Repubblicana», «Il Po-
polo», «L'Adige», «La Stampa», «Roma», «La Not-
te», «Il Tempo», «Momento Sera», «Corriere d'Infor-
mazione», «Gazzetta di Parma», «Gazzetta di Reggio»,
«Italia», «L'Avvenire», «La Gazzetta di Modena», «Il
Piccolo di Trieste», «Il Gazzettino di Venezia»... «La
Provincia», «L'Eco di Bergamo», «Le Valli Varesine»,
«La Curia», «Il Sole», «Il Combattente», «La Voce di
Sicilia», «Il telegrafo», «Il Mattino» di Napoli, «Il
Pomeriggio», «Oggi», «Gente», «L'Eco del Sud»,...
«Abruzzo d'oggi»!

Il tutto si tramuta in un bisbigliare sommesso, mentre
cresce, roca e languida, la voce della Borghesia. Il lavoro
degli operai è frenetico.

BORGHESIA   Ahaa, Fiat: 254. Oahaa, Montecatini: 207.
Ahaa, Assolombarda: 245... mi fai rivivere... mi sento

rinascere le azioni dappertutto... ohoo... le Edison... sono cosí elettrizzata... hanno superato quota 300... oha-
aoo le Rumianca sono salite quasi a 400... è tanto che
non mi crescevano cosí... ahaa che bello: Pirelli 348...
ohao Rhodiatoce 260 è meraviglioso... (*il Primo capo
cerca con gran fatica di alzarsi*) ... aoha... dove vai... caro?

PRIMO CAPO   Un momento... fammi prendere un po' di
fiato...

Sul suo gesto di sgranchirsi, anche i lavoratori in primo
piano si muovono in sincrono, imitandolo.

BORGHESIA   Oh, no, ti prego... ancora un po'... almeno la
Petrolchimica e l'Erba Farmaceutici... solo un pochino!
PRIMO CAPO   Non posso.

Altro gesto in sincrono degli operai che smettono di lavorare e stanno per abbandonare i pali a terra.

BORGHESIA   Almeno fino a 543... sii carino!

Approfittando della pausa amorosa gli ex rivoltosi
hanno abbandonato gli attrezzi, si sgranchiscono, sba-
digliano, si stropicciano gli occhi.

REGINA (*alla Borghesia*)   Forza bella, non mollarlo, per carità! Poi ti faccio un regalino...!
VESCOVO   Adesso basta con 'sto spettacolo osceno se pur
fruttuoso. Forza, continuiamo a riempirlo di giornali.
REGINA   È troppo vasto 'sto pancione... non ce la faremo
mai a riempirlo solo con i giornali...
CAPITALE   Non scoraggiatevi che arriva l'asso di briscola... (*Prende dalla quinta un apparecchio televisivo. I
due che stanno amoreggiando scompaiono, nascosti da
una tenda che scorre davanti a loro*) Eccola qua...
CORO   La televisione...!
GESÚ GESÚ (*cantando*)   Con quella si riempie ogni pancione! E come dice il proverbio:
    Accendi la televisione
    e si spegne la rivoluzione.
    Basta una canzone qualche partita di pallone
    e il popolo ritorna minchione! Ah ah!

L'apparecchio televisivo viene sistemato nel ventr
Pupazzo, sul casco viene infilata l'antenna.

CORO   Guardate che bello il Pupazzo... con la televisione
incorporata!

PRIMO CAPO   Macché bello, fa schifo... è una trappola per
i gonzi... sfasciamoglielo...

VESCOVO   Ma che dite... è un angelo protettore da portare
in processione!

GESÚ GESÚ   Ah, come quello di prima... lui passa e voi...
tutti in ginocchio! Ah ah!

REGINA   Maledetto... non gli date retta... è un angiolone
innocuo...

GESÚ GESÚ   Innocuo col manganello... ah, ah! L'angiolone poliziotto! ah ah...

PRIMO CAPO   Eh, già... guardate... è vero che ci ha il manganello... e il casco da poliziotto, pure!

REGINA   Ma no, è tutto finto, di cartapesta,... ve l'ho detto... serve per la sagra del paese... sapete... lo si riempie
di petardi... poi sul piú bello... zam zam tutto un fuoco
d'artificio... (*Ballano una tarantella rallentata sul cui ritmo verranno dette le battute che seguono*). Scoppi, gi-
randole... fanfare...

RE   Sirene... idranti... caroselli... getti d'acqua sul muso!

CAPITALE   Stelle filanti... musica...

REGINA   Stabilità MONETARIA.

RE   Legnate... tre squilli... carica... pestaggio con le giberne...!

CAPITALE   Pioggia di coriandoli... suono del benessere!

VESCOVO   MIRACOLO ECONOMICO!

RE   Botte da orbi... crocerossa, pronto soccorso...

CAPITALE   E tutti che ridono contenti! Soddisfatti... con
negli occhi la certezza del domani.

RE   Col muso rotto, due denti in meno, sei mesi di galera in piú... ah ah!

VESCOVO   Maestà, adesso basta: siete scomunicato!

RE   Interessa a me...

UN RIVOLTOSO   Forza, muovetevi, prima che lo mettano
in funzione davvero.

CORO   Sfasciamoglielo!

Avanzano minacciosi verso il Pupazzone. I notabili si
fanno scudo del Pupazzone.

CORO NOTABILI
> Pietà... pietà...

CORO RIVOLTOSI (*cantando*)
> Pietà l'è morta,
> è morta la speranza...

VESCOVO   Indietro, non fate sciocchezze... giú le mani dall'arcangelone...

CORO RIVOLTOSI
> Pietà l'è morta!
> cambia la danza, cambia la canzon!

PANCIONE   Indietro, state buoni, cercate di ragionare!...

CORO RIVOLTOSI
> Ascolta bene o popolo ignorante,
> che ti racconto come è facile farti fesso...

REGINA   Siate civili... non perdiamo la testa...

CORO RIVOLTOSI
> Piegato in due finisci sempre al cesso...

VESCOVO   Siate comprensivi!...

Il Pupazzone è sospinto dalla forza del Proletariato in un angolo del palcoscenico. I notabili trovano scampo fuggendo sul praticabile superiore.

CORO RIVOLTOSI
> Basta una smorfia t'intenerisci il cuor!

GENERALE   Chissà cosa diranno di noi all'estero!

CORO RIVOLTOSI
> Basta una banda ed il cuor t'infiamma,
> basta una bandiera e ti sciogli come panna...

VOCE BORGHESIA   Oh no... non mi lasciare, mi si spezza il cuore... mi scendono le azioni...

CORO RIVOLTOSI
> Basta dirti che il principale
> è una carogna ma che ha una mamma...

VOCE BORGHESIA   Fiat 200, Montecatini 300... Assolombarda 150.

CORO RIVOLTOSI
> Che il ministro è un truffatore
> ma poverino è un orfanell...

VOCE BORGHESIA   È un'emorragia... mi farai morire... la Rumianca è scesa a 300...

magnetofono... cercami il suono amplificato di una lacrima che cade... ce l'hai? gliela mettiamo in sovrim-
pressione... teatro espressionista... funziona sempre...!

PRIMO TECNICO DEL SUONO   Eccola dottore!

REGISTA   Sentiamo. (*Si sente un toc toc*) ... ma no... pare
un water che perde... no, no. E poi è misera... dev'essere
come un... non so... un rivolo... canoro (*si sente la fon-
tanella della orinata di poc'anzi*) ... ecco... così... perfetto... questo va benissimo!

PRIMO TECNICO DEL SUONO   Ma questa è la registrazione
della pipí degli operai di prima!

REGISTA   Ma che ti importa... va bene lo stesso... vero
espressionismo drammatico... la gente non sa... si sugge-
stiona per contrasto... non pensa alla pipí e piage!!! a
cascatelle...! Vediamo le immagini adesso... andiamo
con 'sta proiezione...

PRIMO CAMERAMAN   Via col filmato...

Si dispongono tutti davanti al televisore e mimano attenzione al filmato.

SECONDO CAMERAMAN   Praga. Scene di giovani che sven-
tolano bandiere per le strade...

REGISTA   Ottimo... suggestivo... che è... cos'è quella bandiera...?

PRIMO CAMERAMAN   È una bandiera rossa...

REGISTA   Colla falce e martello...?

SECONDO TECNICO DEL SUONO   E c'erano anche quelle...
siamo in un paese comunista...

REGISTA   Ma la gente non deve sapere... tagliare... via. E
quei ragazzi che salutano col pugno chiuso? Ma siamo
matti? Perché ce l'avete lasciato? Via il pugno perdio!

PRIMO CAMERAMAN   Taglia il perdio.

SECONDO CAMERAMAN   Taglio il perdio.

REGISTA   No, ho detto taglia il pugno, lascia il perdio!

PRIMO CAMERAMAN   Taglia il pugno, lascia il perdio!

SECONDO CAMERAMAN   Taglio il pugno.

REGISTA   Piuttosto, la scena dei ragazzi che disegnano col
gesso le svastiche sui carri armati?

SECONDO TECNICO DEL SUONO   Eccola... arriva proprio
adesso...!

REGISTA   Oh... bello... bello... e chi è quello che se ne sta
seduto tranquillo... in cima al carro armato sovietico?

PRIMO CAMERAMAN   Un soldato...

REGISTA   Soldato cecoslovacco...?

SECONDO TECNICO DEL SUONO   No, sovietico...

REGISTA   Ma come, sorride... come se niente fosse... non reagisce...

SEGRETARIA   Eh be'... non sappiamo che farci... questo è un documentario...

REGISTA   E con ciò? Cosa interessa a me se è documentario! Il russo deve reagire... sparare... prendere a calci in faccia il giovane ceco... fargli saltare i denti... sangue voglio... sangue per la libertà...! morti per le strade!

SECONDO CAMERAMAN   Abbiamo questa, dottore, la 65.

PRIMO CAMERAMAN   Vai con la 65... eccola, dottore, c'è anche un giovane che inzuppa la bandiera...

REGISTA   Ma non è a colori... non fa scena, sembra che lavi il marciapiedi... è poco... troppo poco... non si commuovono... non si eccitano gli animi così!!

SECONDO CAMERAMAN   Ma è tutto quello che abbiamo trovato...

REGISTA   Via, via tutti... ci penso io a trovarvelo 'sto materiale... Siete degli incapaci! Via tutti... no, voi del sonoro state qua: trovatemi un nastro con il pianto del bimbo... che sia disperato... lo mettiamo su quella foto di bambino sperduto tra la folla. Bello, bello, e chi è quella signora? Ma è la mamma! Taglia l'arrivo della mamma!

PRIMO CAMERAMAN   Taglia la mamma.

SECONDO CAMERAMAN   Taglio la mamma.

PRIMO TECNICO DEL SUONO   Pianto disperato: abbiamo questo dottore...

Si sente il pianto angoscioso di un bimbo.

REGISTA   Bello... splendido... che struggente... mi commuovo anch'io... pare vero!

PRIMO TECNICO DEL SUONO   Ma è vero dottore... L'abbiamo registrato alla periferia di Saigon... appena dopo un bombardamento al napalm...

SECONDO TECNICO DEL SUONO   È il pianto di un piccolo bambino vietnamita ustionato...

SEGRETARIA   Abbiamo anche il filmato per intero, lo vuol vedere? Vai col filmato.

PRIMO CAMERAMAN   Vai col filmato.

REGISTA   No, no... anche se lo vedo che me ne faccio? il
vietnamita mica lo posso far passare per cecoslovacco...
con gli occhietti a mandorla che si ritrova!

SEGRETARIA   Ah sí, certo!

SECONDO TECNICO DEL SUONO   Ecco, ascolti... adesso si
sente il grido della madre...

Grido della madre che urla frasi acute e scandite.

REGISTA   Bello... straordinario... sembra la tirata di Me-
dea al terzo atto... inseriteci anche questo tutt'intero nel
montaggio...!

SEGRETARIA   Ma dottore, parla in vietnamita!!

REGISTA   E chi lo capisce... chi se ne accorge? Tu conosci
il vietnamita? No, e il cecoslovacco? Da noi nessuno conosce il cecoslovacco... quindi...

SEGRETARIA   Sí, ma quando trasmetteremo il documentario originale con le immagini della madre e del piccolo,
la gente si ricorda e mangia la foglia...

REGISTA   Ma chi t'ha detto che noi lo trasmetteremo mai
quel documentario sul Vietnam...? Né quello né altri!
mai! perché, mettitelo bene in testa,... il Vietnam non
esiste per i nostri telespettatori, non c'è... e se c'è non è
in guerra... e se è in guerra, gli americani non c'entrano... e se c'entrano sono là in villeggiatura... non partecipano... anzi sono in Messico, alle Olimpiadi, a gareg-
giare fraternamente coi sovietici.

ASSISTENTE   Ad ogni modo a quello che dice la donna
bisognerà farci la traduzione in sincrono...

REGISTA   È già fatta... eccotela... (Legge) Figlio figlio
bianco e vermiglio... figlio senza cipiglio... figlio, a chi
m'appiglio?

ASSISTENTE   Ma è Jacopone da Todi... Il pianto della vergine!

REGISTA   E dici niente?... il vero dolore è universale... e
poi la gente non sa... la gente è ignorante... cieca e beota... Vai... vai che vai bene... Qui sotto ci metti l'imma-
gine di un fucilato...

SEGRETARIA   Un vietcong... Van Troi... l'abbiamo in re-
pertorio...

REGISTA   Macché Van Troi... cecoslovacco!

ASSISTENTE   Ma non ci sono fucilati cecoslovacchi...!

REGISTA   Male... mettici un torturato allora...

ASSISTENTE   Neanche!!!

REGISTA   Neanche torturati? Ma dico... allora che ci sono
andati a fare 'sti russi in Cecoslovacchia? La scampa-
gnata? Perdio... come li faccio io i servizi sulla libertà
calpestata e offesa? 'Sti bastardi... ci stanno a sfottere!

ASSISTENTE   Abbiamo questa... se le può servire...

REGISTA   Cos'è...?

ASSISTENTE   Un pestaggio della polizia... agli studenti...
lo montiamo un po' sfuocato e cosí gli elmetti dei poliziotti nostri non si riconoscono... tanto non li abbiamo
mai trasmessi... Avevo ricevuto l'ordine del ministro in
persona di distruggerli... meno male che li ho salvati...

REGISTA   Bravo, adesso vengon buoni...

ASSISTENTE   Peccato che a 'sto punto bisogna tagliare...

REGISTA   Perché?

ASSISTENTE   Non s'è accorto... sul fondo si vede Valle
Giulia... e qui c'è perfino il cupolone...

REGISTA   Ma stai a vedere 'ste quisquilie... andiamo, la
gente è ignorante... la gente non sa, è cieca e beota...
vai, vai! vai che vai bene!!! E adesso la chiusura finale... dovete trovarmi una canzone... originale stavolta...
qui non possiamo barare. Voglio una canzone scritta da
un autore cecoslovacco perseguitato... di quelli della
nuova democrazia... scritta proprio nei giorni dell'inva-
sione... un inno sconvolgente... che pianga la libertà
perduta...

ASSISTENTE   Stavolta c'è... eccolo qua... è perfetto!!

REGISTA   Originale?

ASSISTENTE   Come no, parla di una madre che dice: «la
luce è la libertà... la libertà è luce... oggi i miei figli in-
numerevoli sono diventati tutti ciechi...»

REGISTA   Splendido... abbiamo anche il gioco verbale cie-
chi-cecoslovacchi! Fammi fammi sentire... è registrata?

ASSISTENTE   Posso fare di piú... è talmente bella che l'abbiamo imparata tutti a memoria nella lingua originale...

REGISTA   Bravi!

ASSISTENTE   Fuori l'orchestra, fuori lo speaker, leggi la
traduzione.

Tutti gli attori entrano in scena. Alcuni hanno strumenti musicali. Si allineano in proscenio, cantano la canzone
di Theodorakis.

REGISTA (*a metà canzone*)   Ma che è... è greca... è quella
sui colonnelli... è di Theodorakis... ferma ferma!!!!!

Nessuno l'ascolta.
Gli attori in coro cantano in greco la canzone di Theodorakis mentre lo speaker traduce.

CORO
Domenica ero libero,
lunedí ero schiavo.
Il sole volgendosi al sonno
piange la mia libertà perduta.
Issiamo sui nostri pugni
gli stracci della nostra
dignità calpestata.
Fascisti colonnelli americani del Texas,
voi non lo sapevate,
ma la Grecia ha le montagne.
Le nostre montagne
scenderanno al mare
e nel mare vi annegheranno.

SECONDO TEMPO

Luce piena.
Rientrano tutti gli attori vestiti del solo costume base,
e riprendono la cantilena degli slogans pubblicitari, andando su e giú come automi in modo caotico per il palcoscenico. A loro si uniscono quattro personaggi in camice bianco: il Professore e i Medici e una Infermiera.

PROFESSORE   Felicità, felicità, l'importante è essere felici in un mondo felice. Avere un lavoro... lavoro sicuro! Posti di lavoro offrensi... concorso di assunzione...
operai, tecnici specializzati si assumono!! cento, mille
posti di lavoro, previo esame psicotecnico... si assumono!! (*La scena si è svuotata in un via vai di gente. In
scena restano soltanto medici: occhialoni a specchio,
molti strumenti un po' grotteschi: trombette appese al
posto dello stetoscopio, palline con elastico tipo scherzi
da fiera, fischiotto con lingua da formichiere, ecc. L'Infermiera scrive dati in continuazione su di una cartel-
la. In centro scena uno sgabello*) Avanti il prossimo.
SIGNORINA   Avanti il prossimo. (*Entra vispo e sorridente
un Esaminando con un cartello appeso al collo*) Si presenti: generalità.
ESAMINANDO   Antonio.
SIGNORINA   Non mi interessa il nome...
ESAMINANDO   Ah... il cognome... Fantulli.
SIGNORINA   No, né nome, né cognome, le ho chiesto le ge-
neralità aziendali... le è stato consegnato un cartellino
all'ingresso, lo legga.
ESAMINANDO   Ah, sí questo...
SIGNORINA   Deve tenerlo al collo... cosí, bravo, lo legga.
ESAMINANDO   Otteggos... oremun...

SIGNORINA   Sta leggendo all'incontrario! lasci fare a me...: soggetto numero 47-A8.

DOTTORE   Si accomodi su quello sgabello. (*L'Esaminando si siede*) ... In piedi. (*L'Esaminando esegue*). In piedi sullo sgabello. (*L'Esaminando scatta spaventato*). Stia fermo, non si muova. Signorina legga.

SIGNORINA (*legge*)   Il soggetto 47-A8, qui presente, ha già superato con punti 70,01 la visita sanitaria. Risulta sposato, con moglie casalinga, cattolica, matrimonio in chiesa per non addolorare madre di lei molto credente... il soggetto era contrario essendo repubblicano, da parte di padre. (*A ogni frase il Professore detta dei numeri*). Non è iscritto a nessun partito, pur avendo in qualche occasione dimostrato forte simpatia per il PCI.

ESAMINANDO   Ma scusate, cosa c'entrano le mie idee politiche con l'esame psicotecnico?

PROFESSORE (*che seguito dagli altri ha continuato a girargli intorno*)   Buono... zitto, levategli due punti... vada avanti signorina... È sportivo? tifoso?...

SIGNORINA   Abbastanza...

PROFESSORE   Per quale squadra tiene?

SIGNORINA   La squadra locale... dove presidente è il padrone.

PROFESSORE   Bene, rimettetegli i due punti. (*Il Professore riprende a far domande sempre girando intorno all'Esaminando seguito dai suoi assistenti che a loro volta fanno domande*).

DOTTORE ASSISTENTE   Mai litigato con gli amici al caffè?

SIGNORINA   Sí, una volta...

PROFESSORE   Motivo?

SIGNORINA   Per i fatti d'Ungheria...

PROFESSORE   Da che parte era?

SIGNORINA   Era per il Brasile...

PROFESSORE   Per il Brasile?

SIGNORINA   Sí signore... Diceva che in quel campionato del mondo il Brasile si era dimostrato la vera rivelazione, non l'Ungheria di Pusckas...

PROFESSORE   Liti in famiglia?

SIGNORINA   Sí, quattro. Una in particolare, molto violenta.

PROFESSORE   Motivi?

SIGNORINA   Gelosia, la moglie l'aveva scoperto con una donna...

ESAMINANDO   No, non è vero, non mi aveva scoperto...

PROFESSORE   Zitto! Levategli tre punti. Chi era la donna?

SIGNORINA   La donna era la vedova di un suo compagno
di lavoro, deceduto nella nostra ditta per incidente...

PROFESSORE   Che incidente?

SIGNORINA   Trancia, professore.

PROFESSORE   Be', ridagli i tre punti... dagliene quattro e
non parliamone piú!

DOTTORE ASSISTENTE   Scenda di lí.

L'Esaminando scende dallo sgabello.

SIGNORINA   Seduto... si spogli.

ESAMINANDO   Mi spoglio tutto?

PROFESSORE   Sporcaccione! No, solo le scarpe... mi dica
piuttosto: come ha i piedi?

ESAMINANDO   Molto lunghi... porto il quarantaquattro.

PROFESSORE   No, chiedevo se sono atrofici o prensili.

ESAMINANDO   Prensili?

PROFESSORE   Sí, se riesce a afferrare oggetti con i piedi...
che so,... una pinza... un cacciavite... manovrare una
chiave inglese... se riesce a avvitare un bullone, stappa-
re una bottiglia...

ESAMINANDO   Con i piedi?

PROFESSORE (*rivolto ai suoi assistenti*)   Vedete? Vedete?
Non ce n'è... non se ne trova uno! Qui, se lo stato non si
decide a organizzare scuole di educazione pediprensile
fin dall'infanzia, è la fine. In Italia siamo solo capaci di
sbattere via quattrini, questa è la verità! Abbiamo un
Coni che spende miliardi per insegnare ai bambini a
giocare a tennis, a pallacanestro, hockey su ghiaccio...
ma giochi che sviluppino la prensilità del piede infantile, niente! Ora, che se ne fanno le industrie di operai
tennisti? hockeisti? pallacanestristi? L'industria, oggi
come oggi, ha bisogno di operai dalla massima efficienza... operai che sappiano fare il lavoro con tutto, anche
con i piedi.

ESAMINANDO   Lavorare anche con i piedi?... ma non bastano le mani?

PROFESSORE   Come si vede che lei è completamente a di-
giuno del nuovo sistema a doppia catena di montaggio
Brotzerk-Laus.

ESAMINANDO   A doppia catena?

PROFESSORE   Sicuro. Una che passa all'altezza della cintola dell'operaio, e l'altra sotto, all'altezza dei piedi.

SECONDO ASSISTENTE   Si risparmia esattamente metà del personale.

PRIMO ASSISTENTE   Lo stesso lavoro che prima si faceva con due operai, oggi lo si riesce a svolgere con uno solo... ma a condizione che l'operaio sia pediprensile.

ESAMINANDO   Come le scimmie?

PROFESSORE   Già.

ESAMINANDO   E c'è già qualche posto dove siano riusciti a farlo funzionare 'sto sistema di montaggio raddoppiato?

PROFESSORE   Certo!

ESAMINANDO   Dove?

PROFESSORE   In Sudafrica.

ESAMINANDO   Con operai negri?

PROFESSORE   No, operai scimpanzè... funzionano che è un piacere...

ESAMINANDO   E perché non assumete anche voi degli scimpanzè al posto degli operai?

SECONDO ASSISTENTE   Non si può, la protezione degli animali ce lo proibisce...

ESAMINANDO   Perché?

PROFESSORE   Dice che quello della catena di montaggio è un lavoro disumano... adatto solo agli uomini.

ESAMINANDO   Ah, allora!

PROFESSORE   Be', ma adesso basta col perdere tempo in chiacchiere, vediamo se è assumibile almeno per la catena «tuttadanza».

ESAMINANDO   Tuttadanza? cos'è?

PROFESSORE   Zitto. Veniamo alla misura delle reazioni semplici. Ritorni sullo sgabello, prego. (*Cominciano con lo strombettargli in un orecchio. Il Professore detta*) udito con reazione... con eccesso L.B. 40.

Gli soffiano con il fischietto a lingue. L'Esaminando si ritrae e ridacchia stupito.

ESAMINANDO   Eh eh... salute! Anno nuovo.

PRIMO ASSISTENTE   Stimolo ottico sonoro associato con eccesso breve: M 32.

Gli sbattono sul capo la pallina con elastico.

ESAMINANDO   Eh... non esageriamo... t'ho visto! (*Un altro gli spruzza in faccia dell'acqua*). Eh no!

SECONDO ASSISTENTE   Psicomorale: reazione alla provocazione esterna: 43.

PROFESSORE   Signorina scriva: inizialmente mite, ten-
dente al pavido. (*Lo afferra per i polsi*) Allunghi le mani,
anche la destra. Le stenda per bene sotto le mie palme...
cerchi di colpirmi... coraggio... (*l'Esaminando tenta di
colpirlo*) ... non ce la fa... non ce la fa... ce la fa! Colpito!
Non ce la fa! Signorina, scriva per favore: riflessi delle
estremità superiori: media 38 in maggiore, soggetto
adatto per trancia a ghigliottina. Vediamo gli inferiori:
ora è lei che dovrà tirarsi indietro col piede. Io tenterò
di colpirla. Via! Bravo!... bravo!... velocissimo... basta
cosí! (*Il soggetto si rilassa, il Professore lo colpisce a tradimento*) Stavolta cè cascato!

ESAMINANDO (*urlo di dolore*)   Ma lei aveva detto basta!
Cosí non vale, non si era piú in gioco!

PROFESSORE   Zitto! Signorina scriva: arti inferiori: velocità di riflesso, ottima. Guardi, le do 68, cosa vuole di
piú?

Arriva di nuovo il tecnico spruzzatore e lo annaffia sul
viso.

ESAMINANDO   Eh no... porca d'una...

TERZO ASSISTENTE   A ulteriore provocazione umida, il
soggetto reagisce trattenendosi.

SIGNORINA   Comportamento?

PROFESSORE   Positivo normale...

SIGNORINA   Previsioni eventuali cariche polizia?

PROFESSORE   Da mite a intimidito, presto in fuga. Pronti
per esame reazioni di Grendal: ritorni in piedi sullo
sgabello... cosí... diritto, esegua quanto le ordinerò: via!
infilare la mano sinistra sotto l'ascella di destra... cosí...
uno due... bravo... Palmo della mano spalancata; sollevare con angolo di trentatre gradi l'altro avambraccio...
palmo della mano a sfiorare la guancia come nel saluto
militare bulgaro...

ESAMINANDO   Ah, i bulgari salutano cosí? Non si finisce
mai d'imparare cose nuove nella società tecnologica!

PROFESSORE   Zitto! Restare in tensione... prendere bene
il respiro...

Uno dei dottori sferra una gran pacca sul palmo della mano aperta che tramortisce il poveretto.

CORO   Chi è stato?
ESAMINANDO   Lui!
PROFESSORE   Bravo, hai indovinato...
ESAMINANDO   Bene, adesso tocca a te... sotto avanti, sotto...
PROFESSORE   Macché sotto... andiamo! Stiamo conducendo un esame psicotecnico. Risalga sullo sgabello.

Arriva quello che spruzza in viso.

ESAMINANDO   Eh no, stavolta... (*Si scansa*).

Viene spruzzato il Professore.

PROFESSORE   Ma disgraziato!
ASSISTENTE   Mi scusi...
PROFESSORE (*all'Esaminando*)   Ma ha capito che non è un gioco? Lei non si deve scansare...!
ESAMINANDO   E io mi scanso invece!... perché sono stufo!
PROFESSORE   E se è stufo allora prenda questa. (*Gli butta in faccia un bicchiere colmo d'acqua*).

L'Esaminando si scansa. Viene annaffiato l'altro medico che nel frattempo si era riempito la bocca d'acqua. Quest'ultimo non può fare a meno di sbroffare tutto quanto in faccia al Professore, che a sua volta cerca di colpire con uno schiaffo il soggetto che nuovamente si scansa. Il Professore colpisce in viso un altro medico che a sua volta innaffia tutti gli altri. Per finire arriva un assistente con un martello. Il soggetto fa per scansarsi.

ASSISTENTE   Non aver paura... è uno scherzo.
ESAMINANDO   Ah ah... lo so, conosco il trucco... è un martello di gomma...
ASSISTENTE   No, quello è uno scherzo vecchio... senti questo invece... (*Gli sferra una gran martellata sulla fronte: botto sonoro*).
ESAMINANDO (*svenendo*)   Ma è vero!!! di ferro!!!
ASSISTENTE   Esatto! E proprio qui sta lo scherzo nuovo... uno se lo aspetta di gomma invece... ah ah...!
PROFESSORE (*indicando il poveraccio lungo disteso*)   Por-

tatelo via. Scriva: soggetto inefficiente... inadatto anche
per la catena tuttadanza.

Tutti i medici escono portandosi appresso lo svenuto.

ASSISTENTE   Ne facciamo passare un altro?
PROFESSORE   No, no è inutile... bisognerà che proviamo
con le donne. Fate chiamare la maestra di ballo.
ASSISTENTE   Ma siete sicuro professore che con le donne...
PROFESSORE   È già sperimentato... sono le uniche a po-
tersi adattare con profitto a quel sistema di montaggio:
primo: per l'istinto armonico ritmico corporale di cui
sono dotate naturalmente... secondo: perché sono piú
docili... non reagiscono... costano meno... Faccia venire la maestra di ballo.

Entra la Maestra di ballo.

PROFESSORE   A lei, signorina... vediamo quello che la sua
esperienza del classico sa combinare...
MAESTRA   Cercherò di fare del mio meglio professore. (Il
Professore esce di scena). Avanti quelle tre che abbiamo scelto ieri... (Entrano tre ragazze un po' impacciate
che si disporranno in proscenio a lato della Maestra di
ballo, ed eseguiranno via via i movimenti da lei indica-
ti). Accomodatevi carine, prego. È inutile che vi facciamo provare direttamente sulla catena di montaggio vera
e propria, se prima non avrete acquisito, perfettamente,
ogni singolo movimento dei ventiquattro diversi che dovrete eseguire, con armonia e tempo esatto. Tutto è semplice, non è faticoso, è perfino elegante e divertente...
vedrete... ma dovrete prestare molta attenzione. Il nostro motto è lavorare con gioia. Immaginiamo che qui a
questa altezza passi il nastro superiore della catena di
montaggio, e a questa il nastro inferiore. Sul nastro superiore a dieci centimetri una dall'altra sono sistemate
delle viti; ognuna di voi, con ambo le mani, deve affer-
rarne due e infilarle con gesto alternato nei fori del pezzo struttura che passa sul nastro sottostante... provate...
ecco cosí, piano... non affrettatevi... lentamente... brave... non è difficile vero?... un due... un due... Attente
adesso: sempre sul nastro superiore passa una nespola...

una specie di sigaro metallico, che dovrete afferrare con i dentini... cosí... ahmm... ecco da brave: attenzione che arriva... Ahmm... brave!... cosí...; adesso senza smette-re il lavoro, con le mani, infilate la spoletta in un foro situato in un altro spezzone meccanico che in quest'i-stante vi passerà sulla sinistra. Saranno due di seguito le spolette da infilare..., bloccate per un attimo le mani... quindi con due colpetti della fronte dovete premere le spolette di scatto... oohpp! oohpp!... si riprende... tran-quille con il gesto base uno due... calma... non dovete stancarvi... è divertente no? semplice e divertente... adesso: terzo movimento... acchiappare con le narici del vostro nasino due piccoli gommini che troverete di passaggio sul nastro inferiore... inspirare, via... infilate veloci... via!... brave! A questi gommini sono attaccati dei fili sottili di rame... date due begli strappi per sten-derli... e poi di scatto andate ad avvolgerli sugli appositi rocchetti del tronco di sezione montaggio sulla sinistra. Tre giri bastano. Via... uno, due, tre... basta cosí... sof-fiate forte col naso per fare uscire i gommini... snari-giate forte... brave... Staccare per un attimo la mano destra e accompagnare il filo sul rocchetto del nastro sottostante... via con morbidezza avvolgerlo cosí... con grazia... brave. Tesorini miei... due strusciate di palmo per l'avvitamento delle rotelle a vite con la sinistra... Lungo... uno due! Basta cosí... Attenzione... sotto il pie-de di destra c'è il pedale che comunica con la trancia... attenzione a ritirare le manine altrimenti zac... un bel colpo secco... e trac, tutte le dita via..., per terra... Il pa-drone non vuole!... fa disordine! Via... brave... perfet-to! Col fianco bloccate il rotatorio... un colpo d'anca sul pistone di sinistra... brave... e adesso due sulla destra... come quando si fa la mossa e un altro sulla sinistra zam! Portare avanti il bacino... il ventre... fino a far premere l'ombelico contro la ventosa applicata sul manubrio del-la manovella del trapano... premere... là!... e adesso oscillare rotando il bacino... sí, proprio come nella dan-za del ventre... splendido... ancora... Retrocedere di scat-to col bacino... e battere i glutei (*aria interrogativa delle operaie*) sí, insomma una sederata sulla sbarra timone che vi sta proprio di dietro e che provoca la chiusura del ciclo... e l'inizio di quello nuovo... Forza con 'sta sederata!!!... ohpp avete visto com'è semplice? In piú ha il vantaggio di rassodare i muscoli ed eliminare la cellulite. Chissà quante signore vorrebbero essere al vostro posto! Allora da capo: ripassiamo con calma... Afferrate le viti sopra e avvitate le viti sotto... uno due, uno due... arrivano le nespole... attenti con i dentini... ahmm!... subito infilate sulla sinistra... ohpp! altra spoletta... uno... op... due colpetti con la fronte... stop con le mani... vai... vai... perfetto!... pronti con le narici del naso, infilare i due gommini... op op... strappi numero due... stendili... avvolgere sul rocchetto alla sinistra... tre giri... op vai... stop! snarigiata... due sniffsniff... accompagnare i fili con la destra... dolcezza... unooo! avvolgere... dueeee... treeee! che amorini... sante loro, che brave! via con il palmo della sinistra... strusciare lungo... sulla rotella opp! Pronti per il colpo secco al pedale della trancia... via... zan! Bloccare col fianco due volte sul pistone di destra, uno sinistra... la mossa!... uno... la mossa! due... trimossa! sinistra! braaaave! premere col pancino avanti col bacino... preciso con l'ombelico santo sulla manopola ventosa... ci siete!... gira gira... la-la-la (*canta*) laílaílalalalalala... oriente misterioso e sensuale. La la la... pronti per la *sederata* all'indietro arrestaciclo... vai! bravee... no non vi fermate: riprendiamo da capo... un'altra volta con lo slancio... forza che se non sbagliate siete assunte... uno due, uno due con le mani alle viti... afferrate le spolette con i dentini... uno due a sinistra... uno due a sinistra... infila... colpetto con la fronte... due... op op... pronto il nasino prensile... prendi i gommini due... due strattoni tendifilo, op op... avvolgere a sinistra sul rocchetto... vrr vrr... oh che meraviglia! snarigiata sgnif sgnif... vai con la destra... dolce... uuunooo duuueeee... avvolgere... duuueee treeee palmo a struscio con la sinistra sulla rotella... op pedale trancia secco zamm... la mossa... due destra... mossa trapam... mossa trapam... sinistra tratapram! magnifico!... via col pancino ombelico e pancino... gira la danza... vai orientale-morbosa-sensuale-vai... gluteo veloce pronti... fuori uno... perfetto...

Riprendono con ritmi ormai ossessivi mentre una voce molto forte di speaker dice

VOCE SPEAKER   In una fabbrica di Milano, la Siemens, le operaie della catena di montaggio compiono quaran-

tamilacinquecento movimenti in una sola giornata, di
cui tremila con il pedale e colpo d'anca relativo per la
trancia. Tutte le operaie sono ammalate alle ovaie per il
contraccolpo che scuote violentemente il bacino nello
scatto al pedale. Quasi tutte soffrono di disturbi all'ap-
parato genitale: infiammazione, uretriti, ecc. Alcune di
loro hanno dovuto sottoporsi a interventi chirurgici che
le hanno private definitivamente della possibilità di
avere figli.

Entrano in scena alcuni attori. Il lavoro ritmico danza-
to si trasforma per logica associazione di idee in una danza da «piper». A coppie, ragazzi e ragazze danzano con
gesti molto analoghi a quelli della «catena». Le ragazze
e anche la maestra che si sarà trasformata cambiandosi
velocemente elementi del vestiario e parrucca, in operaia al ballo, biondona con ricciolini, vengono in proscenio.

RAGAZZO DELLA RICCIOLONA   Ohi che bel ballo questo...
dove l'hai imparato?... come si chiama?

RICCIOLONA   Catena di montaggio.

RAGAZZO   Ahh ahh (ride) eccentrico... ma di' la verità, tu
sei andata ad allenarti in qualche posto, per ballare cosí
bene...

RICCIOLONA   Sicuro, otto ore al giorno al «Tuttodanza»...
quarantamila movimenti... zan, zan... quindicimila colpi
d'anca... «la mossa»!

RAGAZZO   Tutti i giorni?... sei una professionista allora...
ballerina come dire?

RICCIOLONA   Ballerina di fabbrica.

RAGAZZO   Operaia?

RICCIOLONA   Sí, perché, ti fa schifo?

RAGAZZO   No, no figurati... tanto per me, dico la verità...
la ballerina non mi piace neanche tanto... tutto sesso,
poco spirito... come dire, anima niente...

RICCIOLONA   Invece le operaie sono tutta anima e niente
sesso, come dire: le suore del tornio, le vergini della
trancia a pedale... ma vai a farti trapanare in quel posto... patacca!

RAGAZZO   Be', non volevo dire... a me mi piaci anche se
tu fossi una di quelle assunte nei pollai che tastano il sedere alle galline per vedere se hanno l'uovo...

RICCIOLONA   Era giusto il mestiere che facevo prima...
tremila tastate al giorno... ci avevo un fidanzato cattolico, di chiesa... m'ha piantata.

RAGAZZO   E io invece no... io non ti pianterei mai... anche
se so che lavori d'anca, che fai la mossa quindicimila
volte al giorno, perché si vede che ci hai del sentimen-
to...

RICCIOLONA   Grazie... ohio (*si piega*) scusa, piantiamola lí
di ballare... ci ho l'ombelico un po' sconvolto... facciamo
quattro passi...

Si staccano dal gruppo che lentamente esce di scena.

RAGAZZO   Volentieri. Pensare che io credevo che tu faces-
si l'infermiera... perché lí alla fabbrica ti avevo visto entrare in infermeria con delle provette in mano... sai, di
quelle di vetro con le analisi...

RICCIOLONA   Ah sí... erano quelle della pipí.

RAGAZZO   La pipí?

RICCIOLONA   Sí, le portavo per l'analisi antidoping.

RAGAZZO   Antidoping... come per i ciclisti e i calciatori?

RICCIOLONA   Sí, lo stesso. (*Camminando, lei ogni tanto ha
un tic vistoso, scatta col piede, scatta di testa, colpo d'anca*). Perché, dal momento che alla catena di montaggio bisogna fare un certo numero di movimenti all'ora,
e guai se stai sotto... si spezza il ritmo di lavorazione e
sono multe... e dopo un paio di richiami ufficiali...

Lentamente salgono sul praticabile passerella superiore.

RAGAZZO   Che fanno?... ti squalificano?

RICCIOLONA   Ti mettono a riposo per scarso rendimento...
licenziata insomma.

RAGAZZO   Disgraziati...

RICCIOLONA   Ecco che allora per riuscire a stare nella media, che è un po' altina... qualcuno si droga, prende la
bomba, come si dice nel gergo, metedrina, simpalex, un
bel macinato misto e via... e allora si tira bene, ma poi a
forza di tirare, trac c'è la cotta con scoppio... zac, ogni
tanto c'è qualcuna che si sbatte là come secca... Ecco
perché la Direzione ci fa andare con la provetta all'antidoping... perché al capo ci rincresce la gente che ci viene
i malori e la portano all'ospedale e ci muore verde... che
poi ci sono le inchieste... ci sono grane per le ragazze

che non sono a posto coi libretti, perché sono sotto
paga, perché non hanno l'età di legge... la catena si ferma e il profitto cala...

RAGAZZO   Ben gli sta, 'sti bastardi!

RICCIOLONA   Be', perché bastardi?... mica è colpa del signor padrone... lui è buono... la colpa è della legge del
profitto... che se non c'è il profitto adeguato, allora uno
perché deve fare il padrone schifoso? uno va al mare,
coltiva fiori che è tanto di salute oltretutto. È il profitto
che rovina: guarda anche in Russia... prima c'era il «libero amore» poi si sono accorti che il rendimento del-
l'operaio in fabbrica, per via dell'amore libero suddetto,
calava del 3,4 per cento rispetto al programma...

RAGAZZO   Cosa c'entra l'amore libero con la fabbrica?

RICCIOLONA   C'entra e come... tutti non pensavano ad altro... erano sul tornio col sorriso languido e beato...
sguardo appassionato sulla fresatrice... cantatine alla
traditora alle presse, serenate a cinque voci in fonderia e
dappertutto viva l'amore viva l'amore e chi lo sa far! E
allora basta... hanno tirato via l'amore libero, ristabilito
il matrimonio, per adesso civile... piú tardi per quello
in chiesa si vedrà!... E tutto perché... aspetta che lo sapevo cosí bene a memoria, ah ecco...: perché il profitto
e la famiglia sono il cardine del mondo socialista.

RAGAZZO   L'ha detto Lenin?

RICCIOLONA   No, Lenin ha detto il contrario... ma pare,
cosí dicono adesso, fosse un revisionista... servo del capitale, nemico della Fiat. (*È presa da una serie di tic*).

RAGAZZO   Calmati... calmati, cosa ti succede... cos'è?

RICCIOLONA   Niente, è un po' di nevrosi acuta, per via
della catena... il dottore della mutua m'ha detto che non
è grave... si guarisce facile, basta un po' 'di riposo... due
mesetti al mare... e uno in montagna... lunghe passeg-
giate, leggere libri istruttivi... divagarsi, giocare a tennis, andare ai concerti...

RAGAZZO   Se no?

RICCIOLONA   Se no c'è pericolo che divento un po' stram-
ba... è facile che comincio a mordere la gente per la strada... magari mi spoglio nuda la domenica in chiesa... sputo in faccia al caporeparto che a quello gli sta anche bene... e poi mi devono portare al neurodeliri...

RAGAZZO   Vai a rischio d'impazzire insomma...

RICCIOLONA   Sí, ma non mi lamento... bisogna guardare

indietro... a vedere quelli che stanno peggio... allora uno
si contenta.

RAGAZZO   Sei troppo buona tu...

RICCIOLONA   Son tin scema...

RAGAZZO   No, non devi dire cosí... sei una creatura indifesa (*l'abbraccia*) passerotto... ti voglio bene...

RICCIOLONA   Che bello... mi pare la stessa scena di Tolstoj
Resurrezione del TV che lei è indifesa... lui la protegge,
lei resta in buono stato, come dire interessante, e lui la
pianta.

RAGAZZO   Ma io no... io ti sposo...

RICCIOLONA   Dopo?

RAGAZZO   Anche prima!

RICCIOLONA   E perché?

RAGAZZO   Perché sono innamorato!

RICCIOLONA   Platonico?

RAGAZZO   Come platonico?

RICCIOLONA   Chiedo se è amore dello spirito... roba del-
l'anima... sospiro, parole di canzoni... carezze sul viso
basta cosí?

RAGAZZO   A te ti piace platonico?

RICCIOLONA   No, mi fa schifo!

RAGAZZO   Oh meno male... abbasso il platonico, facciamo all'amor!

RICCIOLONA   No, ascolta...

RAGAZZO (*smanioso*)   Sí sí... il tempo è denaro... non si
vive di solo pane...

Dal fondo avanzano con passi di danza rallentata, sospe-
si, i personaggi mascherati, strimpellano o fingono di
strimpellare liuti e chitarre, spruzzano profumi e nuvole di deodorante e di insetticida, si strusciano; voltteg-
giano, pronunciano a turno frasi con tono languido e appassionato.
La Ricciolona e il Ragazzo durante questa scena rimangono abbracciati.

TUTTI   Capelli morbidi, soffici, tanto asciutti che in bro-
do...
È la lacca che non ingrassa... e uccide gli insetti...
Pelle fresca a prezzi convenienti...
Biancheria intima di classe per la vostra pelle grassa.
Occhi stanchi... culetto riposato... non lascia tracce...

Bevete gli acidi urici... durante l'ammollo...
Ti amo!
Deodorante per gli innamorati anche in barattoli...
Vestiti leggeri e trasparenti... Dio ti vede!
Sciolto e in confetti...
Non dire false testimonianze...
Piú appetito, anche a rate...
Ti amo!
Prezzi modici... tutto polpa senza grasso...
Nell'intimità... due colpi di spazzola... anche in umido...
Frizzante... tradizionalmente sana... la maionese anti-
tarme... fatta in casa...
Rispetta il padre e la madre... che fa la schiuma frenata...
per la prima volta in Italia!
Il meglio della natura... col climaterio... la lana ver-
gine...
Non fornicare... gioca l'ambata... è rassodante!
Sposatevi in bianco... non c'è bisogno del reggiseno...
corsi serali...
Senza seno c'è un uomo. È nutriente... anche liscio...
fa tutto da sé!
Non unge... ma diverte... acquistatelo... anche in tram...
non desiderate la donna d'altri... contiene trenta litri... con garanzia... tre cicli in piú... nell'abito calda
d'inverno... accogliente... si sciacqua col tempo umido... non commettere atti impuri... tiene la cottu-
ra... su tutte le ruote...
Andrete in vacanza con materassi premio... quattro posti... surgelati...
Senza freni... solo per sorpasso... Non ammazzare... in
treno, in borsetta, al vallo, in prigione...
Per adulti, dà fiducia con riserva... siate giovani... vi
sentirete subito depressi... siate giovani... moderni,
dai colori vivaci col buco solo fino a domenica.

I personaggi mascherati escono. I due operai si sciolgono dall'abbraccio.

RICCIOLONA (*scansandosi*)   No, no... non posso... cerca di
capire...
RAGAZZO   Cosa devo capire... non mi dirai che come dire...
sei intonsa?
RICCIOLONA   Intonsa chi?

RAGAZZO Tu.

RICCIOLONA Intonsa cos'è?

RAGAZZO Sí, intonsa... come dire... che non hai mai... non ancora... casta, ecco!

RICCIOLONA Be' sí casta... si fa per dire... sono casta ciononostante, ma non mi lamento...!

RAGAZZO Come, non ti lamenti?

RICCIOLONA Eh sí, con tutto che non mi faccia soddisfazione e allegrezza di sicuro di restare al qui presente casta ciononostante... Che a me quante volte mi viene una roba di passione amorosa cosí come adesso...

RAGAZZO Amorosa per me?

RICCIOLONA Sí, ma l'impedimento è piú forte della passione... non posso!

RAGAZZO E già... e piú forte l'ignoranza e il pregiudizio... la paura del peccato... l'educazione da figli di Maria e il parroco che vi sta sopra... è lui che vi dice di non farlo eh?

RICCIOLONA No, no, lui dice di farlo... anzi, prete moderno... «è tutta salute» dice... insomma ci dà buoni consigli... ma non si può... bastarda la macchina e la catena di montaggio...

RAGAZZO Che c'entra la catena di montaggio?

RICCIOLONA Ma è lei che non ci lascia... come dice la canzone «è la macchina che ci ha tradite... che ci nega di fare all'amor».

RAGAZZO Tradite la macchina... vi nega in che senso...?

RICCIOLONA Non conosci la canzone omonima?

RAGAZZO No.

RICCIOLONA Allora mettiti lí, che con le mie compagne della danza meccanica e vigliacca ti cantiamo la spiega! vai!

Entrano alcune Operaie che con i gesti che già conosciamo, quelli della catena, cantano.

OPERAIE
Il nostro padrone è buono, ed è tre volte buono.
Soltanto che ci ha una macchina...
È la nostra disperazion, la nostra dannazion!
'Sta carogna di questa macchina
la ci obbliga a mille mosse:
colpo di gamba, indietro con l'anca,

contraccolpo col bacino,
giú di scatto col pancino,
quarantamila mosse al dí.
Tutto dentro è sballottato,
bassoventre c'è il terremoto,
far l'amor non c'è permesso
tutta colpa dell'eccesso
contraccolpi che ci becchiam.
L'altra faccia della medaglia
però è tutto a nostro vantaggio.
La macchina ci ha rovinato,
ci tien lontane dal peccato:
è la nostra salvazion per tutte le tentazion.
In questo mondo di vizio carnale
sola una voce a salvarci che sale,
la voce paterna dell'industriale,
che tornando alla regola del monacale
«prega e lavora» e non scioperare,
ti dice «stai buona lí,
prega e lavora e fai cuccia lí.
(*Sul finire della canzone le Operaie si portano verso le
quinte, indi escono*).

Entra in scena il Capitale. Gli trotterella dietro Gesú
Gesú.

INDUSTRIALE   Eh no, eh no, per la miseria eh no! questo
è sleale, è bassa demagogia!

GESÚ GESÚ   È bassa, eh sí è bassa!

INDUSTRIALE   È troppo facile in 'sto modo buttarci addosso il discredito, farci passare per negrieri cinici e ri-
buttanti!

GESÚ GESÚ   Eh sí, bisogna ammetterlo, è facile, è facile!

INDUSTRIALE   Come se fossimo noi gli unici responsabili
di questa maledetta situazione. L'automatismo l'hanno
inventato i tecnici non noi... gli ingegneri... i program-
matori!

GESÚ GESÚ   Quanto mi stanno antipatici quelli... Gesú
Gesú!

INDUSTRIALE   Loro ci hanno travolti... noi siamo stati
troppo ingenui d'accordo...

GESÚ GESÚ   Fresconi... diciamo pure fresconi!

INDUSTRIALE   Ehi, andiamoci piano!

GESÚ GESÚ   Piano, pianissimo... come da fermi!

INDUSTRIALE   Basta! Dicevo che anche noi abbiamo le nostre brave colpe... anche noi l'abbiamo fatta sporchina...
bisogna ammetterlo...

GESÚ GESÚ   Sporchina? Lei è troppo buono... sporchina,
tse!!

INDUSTRIALE   Basta!!

GESÚ GESÚ . Come non detto...

INDUSTRIALE   È vero che abbiamo rincorso il profitto fino
al parossismo...

GESÚ GESÚ   Eh, la carne è debole. (*Si sgrida da solo*)
Basta!

INDUSTRIALE   Profitto per noi, l'ammetto, ma vantaggio
per tutti: piú liquido, piú circolante, piú fiducia nella
moneta nazionale... piú rispetto all'estero!

GESÚ GESÚ   Eh ammettiamolo che è bello, potercene andare in giro a testa alta... poter gridare in faccia allo
straniero tracotante: io sono povero, è vero... sono un
pezzente ma il mio padrone è ricco... molto piú ricco del
tuo... pidocchio!!

INDUSTRIALE   Stavolta hai parlato giusto!

GESÚ GESÚ   Bontà vostra!

INDUSTRIALE   Ma tutti questi vantaggi... dovran pur costare qualche sacrificio a qualcuno! e credetemi... mi ad-
dolora vedere i miei operai rischiare la salute e la pelle
per la causa comune! Vi giuro sulla mia testa, che pre-
ferirei guadagnare la stessa cifra senza dover procurare
di 'ste rogne a nessuno!

GESÚ GESÚ   Bello, questo è molto bello da parte sua!...
commovente!

INDUSTRIALE   Ma so anche che a 'sto punto è mio dovere,
io devo saper dire basta!

GESÚ GESÚ   Basta! basta perdio... e che è... ma si può continuare cosí?

INDUSTRIALE (*a Gesú Gesú*)   Basta!

GESÚ GESÚ   Appunto vi dicevo! Basta! c'è l'ingegnere... lo
sgridi!

Entra l'Ingegnere Programmatore, con tanto di Assistente che gli trotterella dietro, ambedue in camice
bianco.

INGEGNERE   Eccomi dottore... m'ha fatto chiamare?

INDUSTRIALE   Certo, e sapete per che cosa?

INGEGNERE   Non saprei!

GESÚ GESÚ   Cade dalle nuvole... la mammola!

INDUSTRIALE   Per dirvi che io non voglio piú lasciarmi trascinare in questa babilonia di mostri, di incoscienti...

GESÚ GESÚ (*suggerendogli*)   Di ladri sodomiti...

INDUSTRIALE (*ripete senza rendersene conto*)   Sodomi... (*Seccato*) Eh... no... zitto...

GESÚ GESÚ   Lei è troppo buono dottore...!

INDUSTRIALE   Ho sempre avuto le mani pulite io... e dovrei macchiarmele a causa vostra?

GESÚ GESÚ   Che fa, le macchia?

INDUSTRIALE   Non me le macchio!

GESÚ GESÚ   Non se le macchia!

INGEGNERE   Ma che state dicendo... e chi vorrebbe farvele macchiare?

INDUSTRIALE e GESÚ GESÚ (*all'unisono*)   ... Voi...! Zitto!

INDUSTRIALE   Voi, freddi calcolatori dei tempi di produzione, dei minimi, dei cottimi: tempi stretti, sempre piú stretti, strettissimi!

GESÚ GESÚ   Ma ce l'avete un'anima?

INDUSTRIALE   Mi avete rovinato dieci operai in una settimana! tutti schizofrenici, pieni di tic! Uno s'è bevuto una lattina d'olio da macchine e s'è messo a girare per il cortile come un indemoniato su quattro zampe gridando «ce l'ho fatta, ce l'ho fatta! ho inventato il motore senza benzina... brtrr... brtrr...»

GESÚ GESÚ (*ride sgangheratamente*)   Oh oh, ma che matto. (*Sente il gelo intorno*) Pardon!

INDUSTRIALE   Un altro ha preso un gatto, l'ha messo sotto la filettatrice gli ha fatto la coda a vite, quattro bulloni, uno per zampa, una valvola da televisore in bocca e s'è messo ad ascoltare la partita finale di Coppa Italia...

GESÚ GESÚ   Brutta partita è stata!...

INDUSTRIALE   Questi poveracci erano da quindici anni nella mia azienda... erano un capitale! Capito? Roba da far fruttare, mica da sbattere al cesso in quella maniera; come ramazze!

INGEGNERE   D'accordo, che vuole che le dica... lei ha perfettamente ragione, dal suo punto di vista, ma sta sempre a lei scegliere: guardiamo in faccia la realtà. Lei ha la responsabilità di dirigere un'industria moderna, quindi di renderla efficiente, in grado di conquistarsi un mercato... combattere e vincere la concorrenza nazionale ed estera... dico bene?

GESÚ GESÚ   Be', benino...

INGEGNERE   Il che significa: ridurre i costi, aumentare il rendimento, accelerare i cottimi, ridurre la mano d'opera al minimo... il che significa ancora: licenziare molti operai.

INDUSTRIALE   Ma licenziare non vuol dire far diventare matti!!!

INGEGNERE   È qui che la volevo, ma a questo punto io le chiedo di mettersi una mano sulla coscienza e lasciar parlare il cuore.

GESÚ GESÚ   Sí, sí, lasci parlare il cuore... che è bello!!!

INGEGNERE   Abbiamo detto riduzione della mano d'opera uguale licenziamento! E, in coscienza, davvero preferisce sbattere ogni giorno della povera gente sul lastrico, disoccupati, e quindi prossimi sovversivi? O non le pare molto piú umano lasciare che si ammalino normalmente di nervi... e quindi permettere loro di sfruttare la fortuna di poter usufruire della mutua... che hanno pagata per anni... e che li manda in una bella clinica a riposarsi... senza piú problemi... perché c'è appunto la mutua che gli fa da mamma... Tranquilli, sempre in compagnia di gente allegra! E che c'è di piú allegro di una combriccola di matti... matti veri!

GESÚ GESÚ   È vero... io so una barzelletta sui matti...!

INDUSTRIALE   Zitto, cretino!

GESÚ GESÚ   No, non è questa, questa è vecchia!

INGEGNERE   E soprattutto eccoli finalmente senza pensieri... dal momento che non ragionano piú, poverini!

ASSISTENTE   E poi c'è pure il vantaggio che non hanno piú il diritto di votare! Tutti voti in meno al PCI!

INGEGNERE   La famiglia fuori si prende il sussidio... e quando, finalmente, guariscono... ed escono dal manicomio... ammesso che escano, sono già in età d'andare in pensione... ed eccoli sistemati.

ASSISTENTE   Loro sistemati, e lei a posto con la coscienza!

INGEGNERE   Non ha sbattuto nessuno in mezzo a una strada! Perché avrà lasciato parlare il cuore!

GESÚ GESÚ   Bravo, lasciate parlare il cuore! (*L'industriale con l'aria rassegnata se ne va sul fondo chiacchierando con il tecnico programmatore quindi escono di scena*).

Che brav'uomo che è 'sto principale... mi fa piangere...
sempre stato cosí, eh, sempre stato alla mano con i suoi
operai, li conosce tutti per nome e cognome uno per uno
di padre in figlio... espansivo... dovreste sentirlo ogni
tanto quando grida: Antonio Baratti... sei un lavativo
come tuo padre Michele... se continui anche tu a pian-
tar grane con i sindacati, ti sbatto fuori te, il Marco
Giannini, Arturo Luzzo, Pietro Abbato, Mario Faggi,
Luigi Gamba... Che fenomeno, tutti, tutti a memoria se
li ricorda! 'sto mostro! E sai perché si ricorda? Perché
ci ha nel profondo del cuore; ed è tutto una delicatezza: sempre il panettone a Natale... sempre l'ovetto per
la Pasqua... un sacchetto di caramelle per la bambina
per la cresima, quattro fiori per la tua tomba quando
crepi, non te li nega mai!!! E poi è sempre lí, sulla porta della fabbrica a riceverti ogni mattino... niente fred-
dezza crudele del timbracartellino automatico segna-
tempo... vuol controllarti lui, come un padre... e ognuno che passa: trac! Una manata affettuosa sulla spalla!
«Forza, che vai bene, scattare... animo! Su con la vita...» e trac, 'sta manata. Trecento trenta manate all'anno... sono quindici anni che lavoro con lui... va che spalla... dieci centimetri piú bassa dell'altra... è il segno del
padre! (*Ad alta voce*) Papà!

Suono di gong. Entrano in scena tutti gli attori disponi-
bili, da destra. Da sinistra quattro poliziotti. Questa
azione rappresenta una manifestazione studentesca. Dopo le prime battute i Poliziotti manganellano i Manifestanti.

CORO MANIFESTANTI   Giustizia! Giustizia... Vogliamo
giustizia... Giustizia... Giustizia, vogliamo giustizia...
Basta con i soprusi! Basta con l'autoritarismo scolasti-
co... Scuola libera! Università per tutti!!!

Botte polizia.

PRIMO POLIZIOTTO   Sotto! Forza! Sfasciamogli la faccia a
'sti signorini...

Pantomima rallentata di pestaggio. Per mezzo di pali
messi uno appresso all'altro la scena si trasforma in una

prigione. Dietro le sbarre i Manifestanti. Tra i manifestanti, una giovane Donna.

PRIMO POLIZIOTTO   Chi è stato?
SECONDO POLIZIOTTO   A chi, bestie? Dove ti sei nascosto?... Presentati animale...
PRIMO POLIZIOTTO   È lui! (*Afferra l'indicato e lo strappa
fuori dalla gabbia*).
MANIFESTANTE   Non si permetta... Sono un libero professionista...
SECONDO POLIZIOTTO   Anch'io sono professionista, sta' a
vedere come ti lavoro. (*Dà un pugno al Manifestante —
la scena è illuminata da un lampo fotografico*). Chi ha
scattato la foto? Prendi quel fotografo...!
PRIMO POLIZIOTTO   Eccolo! Sciacallo! Da' qui la macchina!...
FOTOGRAFO   Nooo... mi costa piú di centomila lire...
SECONDO POLIZIOTTO   Sono gli incerti del mestiere... caro... Danza!

Calpestano la macchina saltellandoci sopra.

FOTOGRAFO   Oh no, maledetti disgraziati!!...

I Poliziotti dànno bastonate ai manifestanti a casaccio.

SECONDO MANIFESTANTE   E no, io che c'entro perdio! La
dovete piantare di picchiarmi sulla testa, son qui tutto
un bozzo. (*Altra manganellata*). Adesso basta! Vi rovino. Chiamatemi il questore.
SECONDO POLIZIOTTO   Ma a chi rovini... Hai sentito? Ci
minaccia pure.
PRIMO POLIZIOTTO   E noi ti castighiamo. Beccati questa!
(*Manganellata*).
MANIFESTANTE DONNA   Basta lasciatelo stare!

Altre manganellate.

MANIFESTANTE   Ahia! Io sono l'onorevole Antonio...
SECONDO POLIZIOTTO   Onorevole? Ma perché non l'ha
detto subito. (*Lo aiutano premurosamente a alzarsi*).
Onorevole beccati questa. (*E gli dànno un'altra botta*).
Cosí impari a fartela con gli studenti.

PRIMO POLIZIOTTO Bastardo!

SECONDO POLIZIOTTO Comunista schifoso.

ONOREVOLE Per la miseria non sono comunista!

DONNA No! non è comunista!

SECONDO POLIZIOTTO Ah no? Appena piovono legnate diventano tutti socialisti.

PRIMO POLIZIOTTO Socialisti col basco. Ah, ah, ah. (*Ride*).

ONOREVOLE Io sono democristiano.

SECONDO POLIZIOTTO Col basco?

ONOREVOLE Senza basco. Moroteo!

DONNA Ed è pure ministro se volete saperlo!

MINISTRO No, cara... quello no, non dovevi dirlo.

DONNA E sí, che lo dico! Non posso piú sopportare che ti picchino in questa maniera.

MINISTRO Ma mi comprometti. Ci sono i giornalisti.

SECONDO POLIZIOTTO (*incominciando a spaventarsi*) Dico, state recitando la commedia voi due, o...

DONNA Macché commedia, fagli vedere i documenti.

MINISTRO Zitta cara.

DONNA No! Lui è ministro, il vostro ministro in particolare. (*Strappa i documenti dalla tasca del Ministro e li sbatte in faccia al Poliziotto*).

SECONDO POLIZIOTTO Ministro degli interni?

DONNA Sí sí, guardi qui la tessera.

POLIZIOTTI IN CORO Che disgrazia! Abbiamo legnato il nostro principale.

DONNA Ah ah siete rovinati! Finiti! cadaveri!

MINISTRO Zitta cara.

FOTOGRAFO Maledizione. E io sono qui senza macchina. Guarda tu che razza di foto mi perdo!!

CORO POLIZIOTTI Ci scusi, eccellenza, noi non sapevamo. Sembrava davvero comunista. Che fregatura!

CORO MANIFESTANTI Signor ministro li rovini! Li rovini;... li mandi a Gaeta! A Gaeta!

Entra il Questore. È furente.

CORO POLIZIOTTI Il questore, c'è il signor questore.

QUESTORE (*a parte ai poliziotti*) Animali, deficienti, carogne. (*Forte al Ministro*) Oh, signor ministro sono costernato. L'ho saputo soltanto adesso e non capisco. (*A parte ai poliziotti*) Asini, deficienti. Vi ammazzo!

CORO POLIZIOTTI   Ma lui non ce lo aveva detto! Non si
    era qualificato.
QUESTORE   I ministri bisogna riconoscerli dall'odore.
    Fuori, fuori tutti. Via sgomberate. (*I poliziotti fanno
    uscire tutti i dimostranti*). S'accomodi eccellenza. Ma co-
    me l'hanno conciata!
MINISTRO   Dobbiamo dar ordine di cambiare quei manga-
    nelli, sono troppo pesanti. Pensare che sono stato io
    stesso a ordinarli in Germania dai Krupp.
QUESTORE (*ai due poliziotti*)   Portate del ghiaccio...
CORO POLIZIOTTI   Ghiaccio...
QUESTORE   Acqua borica...
CORO POLIZIOTTI   Acqua borica...
QUESTORE   E una bistecca...
CORO POLIZIOTTI   Bistecca...
QUESTORE   Cruda...
CORO POLIZIOTTI (*meravigliati*)   Cruda!!!
QUESTORE   Per gli impacchi!
CORO POLIZIOTTI   Ah, per gli impacchi...
QUESTORE   Via tutti ho detto! Sloggiare... (*Vedendo la ra-
    gazza del Ministro*) E questa battona cosa fa qui? Vat-
    tene...

    La ragazza fa per uscire.

CORO POLIZIOTTI   È con il signor ministro. (*Escono*).
QUESTORE (*facendo accomodare la ragazza*)   Oh, signora
    mi scusi, s'accomodi. Sono cosí frastornato! Che gior-
    nata!
DONNA (*al Ministro*)   Ti fa molto male caro?
MINISTRO   Eh, sí. Soprattutto qui. Una gibernata!
QUESTORE   Ma come può essere successo, eccellenza? Co-
    me mai si trovava all'università?
MINISTRO   Non ero all'università io ero ai giardini dietro
    all'università in macchina con la ragazza qui... gli stu-
    denti si sono rifugiati dentro la mia macchina e hanno
    preso anche noi.
QUESTORE   Capisco, nella confusione... ma perché non si
    è subito qualificato.
MINISTRO   Come facevo... nei pressi c'erano dei giornali-
    sti, potevo forse gridare: «Sono il ministro, e me la fac-
    cio con questa battona...» Oh scusami cara...

DONNA (*ride*)   Me l'ha già detto il questore...

MINISTRO   Non potevo compromettermi capisce... Però ho subito gridato: fermi sono un professore universitario! ed è stato allora che un sergente ha mandato un urlo: a me, a me, lasciatemelo a me quello; non l'avevo ancora menato un professore, mi mancava nella collezione. E giú botte!!! E giú la gibernata. Fermo, fermo, ho gridato. Sono anche giornalista. Se non la piantate vi scrivo un articolo che vi rovino! Beh! scrivici anche questo sull'articolo, e mi è arrivata una ginocchiata non vi dico dove...

Un poliziotto porta in scena una bacinella con acqua borica, ecc. La ragazza fa impacchi sul viso del Ministro.

DONNA   Poverino...

MINISTRO   Se lo sapesse mia moglie.

QUESTORE   Capisco...

MINISTRO   Poi mi hanno sbattuto dentro un furgone...

DONNA   È il cellulare, proprio lo stesso che usano per noi. L'ho riconosciuto.

MINISTRO   Come un sacco m'hanno sbattuto...

DONNA   Anche a me come un sacco...

QUESTORE   Mi spiace...

MINISTRO   Ho sbattuto una testata!

DONNA   Io il sedere!

QUESTORE   Mi dispiace...

DONNA   Oh, ci sono abituata...

QUESTORE   Capisco... mi dispiace...

MINISTRO   Quando ci hanno scaricati qui alla centrale, il sergente di prima è stato molto spiritoso...

DONNA   Sí, stavolta ha fatto ridere anche me.

QUESTORE   Mi dispiace.

MINISTRO   Ha gridato: c'è qualche dottore fra voi? Io sono dottore. Medico? Chiese lui. Sí medico, ho mentito io sperando che... Be' medico, curati 'sta scarpata! Guardi qua, due denti m'ha rotto e anche una costola, sa di striscio...

DONNA   Ah ah, divertente no?...

QUESTORE   Sí molto!

MINISTRO   No!

QUESTORE   Mi spiace, mi scusi...

MINISTRO   Mi scusi un corno! Io vi faccio saltare tutti
    quanti! Qui succede il cataclisma... Ah! le costole...
DONNA   Stai seduto caro... respira piano...

Il Ministro si siede sulla sedia dove sta la bacinella con
l'acqua borica.

MINISTRO (*urlo*)   Cos'è?...
DONNA   Acqua borica caro...
MINISTRO   Bene... mi fa bene... ho preso una pedata an-
    che lí.
QUESTORE   Vuole che chiami un medico eccellenza?
MINISTRO   No! Mi chiami il prefetto, subito! Anzi no,
    voglio parlare col presidente anzi, col vicepresidente del
    consiglio in persona...

Entrano i due Poliziotti di prima.

QUESTORE   Ah! l'attuale ministro degli esteri...
DONNA   Quello che minimizza sempre?
MINISTRO   Sí, quello col basco.
QUESTORE (*ai due Poliziotti*)   Il ministro degli esteri su-
    bito!

Suono di trombe.

CORO POLIZIOTTI   Il ministro degli esteri è già qui.
MINISTRO   Complimenti! Avete fatto in fretta, bene! Fa-
    telo passare.
QUESTORE   Avanti eccellenza, prego.
CORO POLIZIOTTI   Avanti con la barella.

Entra su di una barella portata da due poliziotti il Vicepresidente del Consiglio di quel Governo. Ha una maschera che lo fa assomigliare perfettamente a Nenni.

VICEPRESIDENTE   Ahia che botta!!
CORO POLIZIOTTI   Signor questore è stato un equivoco!
    Noi non sapevamo! Lui non si era qualificato!
QUESTORE   Ma aveva il basco no?!
CORO POLIZIOTTI   Sí signor questore... ma gli era caduto
    alla prima manganellata.
VICEPRESIDENTE   Ahia che male...

Suono di trombe. La barella viene portata fuori scena. Tutti i presenti la seguono dicendo:

CORO

> Il nostro padrone è buono, ed è tre volte buono,
> soltanto che ci ha la passione
> di ungerci col bastone,
> che fa tanto tanto mal...
> che fa tanto tanto mal.

Rientrano tutti gli attori immediatamente. Sfilano in proscenio, come per una marcia di protesta. Hanno cartelli in mano.

UOMO   Per che cosa state manifestando?

MANIFESTANTE DONNA   Contro la proiezione del film *I berretti verdi*.

UOMO   Ma è cosí schifoso ed ipocrita come dicono?...

MANIFESTANTE DONNA   È peggio di un film nazista...

UOMO   Ma l'hai visto tu??...

MANIFESTANTE DONNA   Altro che visto... l'ho doppiato.

UOMO   Ah, sei un'attrice??...

MANIFESTANTE DONNA   Sí, ho doppiato il personaggio della protagonista. L'ho visto tutto questo bellissimo film fatto, prodotto, interpretato dagli americani. È una schifezza! Ti giuro che m'è venuto il voltastomaco. Quando sono uscita sono andata di corsa a donare due litri di sangue per il Viet-Cong e adesso sono qui, a manifestare con voi...

CORO   Brava!!

SECONDA MANIFESTANTE DONNA   Ma non sarebbe stato meglio non doppiarlo addirittura?!?!...

PRIMO MANIFESTANTE UOMO   E bravo! E io con cosa mangio? Con cosa pago l'affitto? Le cambiali della macchina???...

SECONDO MANIFESTANTE UOMO   E poi questo è un discorso moralistico...

CORO   Giusto!!!

SECONDO MANIFESTANTE UOMO   A questo punto allora anche il tipografo del «Resto del Carlino», che magari è un compagno, dovrebbe rifiutarsi di battere alla linotype un articolo schifoso contro lo sciopero di operai suoi compagni per non tradire la lotta e l'idea marxista!

PRIMO MANIFESTANTE UOMO   Eh sí, io dico che dovrebbe farlo!

SECONDO MANIFESTANTE UOMO   E allora anche l'operaio della Fiat-aviogetti, il tecnico che fabbrica televisori, l'operatore della televisione che manda in onda un documentario falso sul Viet-Nam, l'attore, il regista televisivo che mettono in scena testi e spettacoli reazionari magari fascisti; eppure costoro sono iscritti a partiti progressisti, l'operaio che fabbrica i mitra Berretta, i preferiti dai marines nel Viet-Nam, insomma tutti quanti in Italia di questo passo dovrebbero rifiutarsi a costo di morire di fame... ma allora dillo chiaro... guardami in faccia, cosa vuoi tu?... la rivoluzione??...

PRIMO MANIFESTANTE UOMO   Per carità chi ha parlato di rivoluzione...

SECONDO MANIFESTANTE UOMO   Tu hai parlato di passare all'azione...

PRIMO MANIFESTANTE UOMO   Azione sí, ma intesa nel senso di manifestazione!!

SECONDO MANIFESTANTE UOMO   Ah! Se è per manifestare, siamo qui per questo!

CORO   Americani a casa oh oh oh, americani a casa oh oh oh.

Un attore si stacca dal corteo e spara ad un altro che si trova nella parte sopraelevata del palcoscenico. Grido.

CORO   Porci! porci! L'hanno ammazzato!!

TERZO MANIFESTANTE UOMO   Chi era??

PRIMA DONNA   Luther King! Il capo dei pacifisti negri.

CORO   Porci! Razzisti! Assassini! (*Tutti gli attori si raggruppano e si agitano come se assistessero a una partita di calcio*). Squadra di brocchi! Andate in serie C. Vogliamo indietro i nostri soldi! Ladri!

Un altro attore si stacca dal corteo. Altro sparo – altra morte. Grido.

CORO   Chi era?

SECONDA DONNA   Bob Kennedy il fratello del povero presidente!

TERZO MANIFESTANTE UOMO   Oh ma che famiglia!!

CORO (*il corteo si ricompone*)   PORCI! PORCI! SCHIFOSI! ASSASSINI!

TERZO MANIFESTANTE UOMO (*si forma un gruppetto di tre attori*)   Ti spaccherei la faccia! Cosa giochi il re di denari sul mio asso, per poi ballare il sette – ma vai giú con 'sto carico – cosa te lo tieni in mano a fare? Ma va'... piuttosto di giocare con te, vado in manifestazione... (*Rientrano tutti e tre nel corteo*).

CORO   Americani a casa oh oh oh. Americani a casa oh oh oh!!! (*Come sopra. Sparo*). Chi era?

QUARTO MANIFESTANTE UOMO   Un certo Mulele...

TERZA DONNA   Ah il vice di Lumumba!!

SECONDO MANIFESTANTE UOMO   Oh, ma che esibizionisti 'sti negri, pur di mettersi in vista si fanno anche ammazzare...

Caduta di un attore dal praticabile.

CORO   Che succede??

SECONDO MANIFESTANTE UOMO   Era un patriota greco, lo stavano torturando, piuttosto che parlare s'è buttato dalla finestra... un comunista...

CORO   Colonnelli fascisti, porci! Assassini...

SECONDO MANIFESTANTE UOMO   A proposito è vero che l'Unione Sovietica ha fatto un prestito di parecchi miliardi ai colonnelli greci?

PRIMA MANIFESTANTE DONNA   Ehi, sbaglio, o sei antisovietico tu?!?

SECONDO MANIFESTANTE UOMO   No, chiedevo solo se è vero...!

PRIMA MANIFESTANTE DONNA   In questo caso chi è curioso fa il gioco dei reazionari e degli imperialisti.

CORO   Patakos fascista – a morte i colonnelli – Grecia libera...

PRIMO MANIFESTANTE UOMO   D'accordo, ma sul fatto che l'Urss ha prestato parecchi miliardi ai colonnelli di Giacarta, quelli che hanno massacrato piú di seicentomila comunisti indonesiani; quello lo so di certo l'ho letto su un giornale comunista!!

PRIMA MANIFESTANTE DONNA   E allora tientelo per te! Perché ricordati che il parlarne è bassa propaganda, è demagogia, stupido moralismo e vuol dire negare la po-

litica dei blocchi e noi dobbiamo essere per il realismo
politico.

CORO   Anche nella nostra sezione la pensano cosí!!!

SECONDO MANIFESTANTE UOMO   E allora abbasso i goril-
la di Giacarta! Servi degli Usa. Assassini!

CORO (*il tono va via via perdendo di vigore fino a diventare
una ninna nanna*)   Americani a casa oh oh oh
Americani a casa oh oh oh.
(*A voci alterne*) Che odor di pulito!
Che buon profumo!
Che bella casa!
Che bella donna!
Che bel bambino!
Che birra!
Che tepore!
Che sicurezza!
Che felicità!

Sul fondo riappaiono i tre manichini impiccati. Gli attori si dividono in due gruppi. Uno di spalle al pubblico vicino agli impiccati, l'altro in proscenio in faccia al
pubblico. Il primo gruppo reciterà il *Giuramento dei
Reggiani* intercalato dalle seguenti battute dette dal secondo gruppo.

PRIMO GRUPPO   Noi non vi potremo mai dimenticare.
Mai!

UOMO DEL SECONDO GRUPPO (*ad un altro*)   Gioca il re di
denari, cosa lo tieni a fare?

PRIMO GRUPPO   Voi non sarete stati ammazzati inutilmente.

CORO DONNE SECONDO GRUPPO   Che buon profumo! Che
bella voce! Vuoi mettere con la Mina? Ah, ah! Cambia
canale.

PRIMO GRUPPO   Il ricordo della vostra morte servirà a
tenerci sempre vivi.

SECONDO GRUPPO   Gut gut gut! Arbitro cornuto! Goal!
No, parata! Ah ah.

PRIMO GRUPPO   Sempre vivi, presenti nella lotta, perché
alla fine la rivoluzione vinca!

SECONDO GRUPPO   Abbiamo vinto! Abbiamo avuto l'aumento di dieci lire l'ora! Ah ah!

DONNA SECONDO GRUPPO   Sul secondo canale c'è «tutta
    musica»!
PRIMO GRUPPO   No, non sarete traditi!
SECONDO GRUPPO   Allegria! Allegria! Tutti al Festival!
    Canzoni! Canzoni! Canzoni! Ah! Ah! Ah!
PRIMO GRUPPO   Nel nostro pensiero non sarete sepolti
    mai!
SECONDO GRUPPO (*a ninna nanna*)   Oh oh oh oh...
    (*A voci alterne*) Che buon profumo!
    Che bella casa!
    Che bella donna!
    Che bel bambino!
    Che birra!
    Che tepore!
    Che sicurezza!
    Che felicità!

Gli attori precedentemente morti si alzano e gridano:

CORO   Basta! Basta! Cambiamo 'sta canzone!

Tutti vengono lentamente in proscenio intonando sottovoce, prendendo via via forza, la canzone di Theodorakis. Sulla canzone greca, detta al microfono, la traduzione.

TUTTI
    Dobbiamo tornare sulle montagne,
    dove le ombre sono immense.
    Ma piú grande delle ombre
    sarà il nostro coraggio!
    Non facciamo che i giovani del mese di maggio
    siano sepolti un'altra volta
    e per sempre.

L'operaio conosce 300 parole
il padrone 1000
per questo lui è il padrone

Prima esecuzione a Genova, novembre 1969.

Elenco dei personaggi

Prima operaia
Seconda operaia
Terza operaia
Primo operaio
Secondo operaio
Terzo operaio
Quarto operaio
Quinto operaio
Sesto operaio

In proscenio, a mo' di sipario, frontespizio a gabbia che allude ad una biblioteca. Dietro arrampicati su trabatello, scale a libro e sgabelli tre operaie e tre operai tolgono i libri e li passano ad altri operai che li ripongono in parecchie casse di grandi dimensioni. Siamo nella biblioteca di una «Casa del popolo». Luce bassa.

PRIMO OPERAIO   Ma quanti anni erano che non facevate giú la polvere in 'sta biblioteca?

PRIMA OPERAIA   Beh, forse da quando l'hanno riaperta... vent'anni fa. Da allora scommetto che nessuno ha piú toccato un libro.

SECONDA OPERAIA   Ma neanche per idea... nei primi tempi si leggeva e come... ogni socio della Casa del popolo veniva a prendersi due o tre libri al mese...

PRIMO OPERAIO   Ma poi è arrivata la televisione. eh?

SECONDO OPERAIO   Già, la televisione è stata proprio il colpo di grazia...

SECONDA OPERAIA   Dài piantiamola, non cacciamo sempre addosso la colpa alla televisione... è che a leggere si fa fatica... specie dopo che hai lavorato otto ore come una bestia e la maggior parte di 'sti libri son scritti in una maniera difficile, pieni di paroloni per gente che ha fatto gli studi...

TERZO OPERAIO   Hai ragione... la cultura è roba per i ricchi... per quelli che non hanno niente da fare!

PRIMA OPERAIA   E questa è tutta roba dei borghesi... fate bene a disfarla 'sta biblioteca... soltanto che al vostro posto mica li scaricherei in cantina... io li brucerei tutti 'sti libri...

SECONDO OPERAIO   E allora comincia a bruciare questo...

CORO   Cos'è?

SECONDO OPERAIO   *L'estremismo: malattia infantile del comunismo* di un certo Lenin... Forse è un borghese anche lui...?

PRIMA OPERAIA   Che discorsi...

SECONDO OPERAIO   Ma l'hai mai letto tu? E guarda che è scritto in una maniera cosí facile che lo capirebbe anche una rivoluzionaria come te.

SECONDA OPERAIA   Eh, a proposito di rivoluzionari, senti
   questo: (*legge*) «senza cultura non si fanno dei rivoluzionari ma al massimo dei ribelli. Un uomo senza cultura è come un sacco vuoto, pieno di vento ti può fare impressione; ma quando piove e spesso piove sulla rivoluzione quel sacco te lo trovi fradicio fra i piedi a farti inciampare».

PRIMO OPERAIO   Orco che bella... di chi è?

SECONDA OPERAIA   Mah, aspetta: dal discorso ai contadini combattenti della scuola di Cien J Liang del set-
   tembre 1942... ah, ma è Mao Tze-tung.

SECONDO OPERAIO   E noi per far capire che siamo d'accordo con lui, che senza cultura siamo tutti sacchi vuoti, eccoci qui a sgombrare 'sto stanzone dai libracci zoz-
   zi per farci dentro un bel salone da biliardo.

SECONDA OPERAIA   Ma che c'entra, la cultura mica si fa
   solo sui libri... si fa soprattutto con la presa di coscienza... la lotta ogni giorno in fabbrica, nei campi, scen-
   dendo in piazza...

PRIMA OPERAIA   Brava... La cultura si fa anche prendendo in mano un fucile!

PRIMO OPERAIO (*legge*)   Ehi, questo ce l'ha con voi: «la
   debolezza massima del nostro Partito è quella caratte-
   rizzata anche da Lenin, del riempirsi la bocca e le orecchie di belle frasi rivoluzionarie e di superficiali massi-
   me scarlatte».

TERZO OPERAIO   Un'altra volta Mao Tze-tung?

PRIMO OPERAIO   No, Antonio Gramsci.

SECONDA OPERAIA   Oh questa sí che è bella, qui c'è anche
   un libro da messa! Guarda qua: il Vangelo! L'avete fregato alla biblioteca del prevosto?

SECONDO OPERAIO   Ignorante: il Vangelo non è un libro da prevosto: è la storia di un assassinio politico...
   la documentazione di come hanno fatto fuori un sovversivo.

SECONDA OPERAIA   Eh già, parlava male dei ricchi... beh
   allora in che cassa lo mettiamo? fra i saggi storici o coi
   libri di politica?

SECONDO OPERAIO   Dov'è la cassa dei libri messi all'indice dal Vaticano? Ecco, mettilo tra quelli lí... è il suo
   posto.

PRIMA OPERAIA   Ah, ci risiamo con 'sta storia di Gesú
   Cristo primo socialista... ecc...

SECONDO OPERAIO   Uei, io ho detto sovversivo, non socialista... socialista democratica se mai era la Maddalena...

PRIMA OPERAIA   La Maddalena socialista democratica? E
perché?

SECONDO OPERAIO   Perché era una battona che si vendeva
sempre ai padroni... bastava un fischio e lei correva...
poi la prendevano a pedate e lei si pentiva.

SECONDA OPERAIA (*ridendo*)   Ah, ah eh già... proprio come i socialisti da noi... Soltanto che i nostri socialisti a
differenza della Maddalena, invece che in danaro si fanno pagare in bottoni... I bottoni della stanza omonima!
Ah ah!

PRIMO OPERAIO   Dai passami 'sto libro... muoviti!

PRIMA OPERAIA   Eh, spetta un attimo, soltanto un'occhiata.

SECONDA OPERAIA   Eh no, se adesso tutti quanti diamo
un'occhiata ad ogni libro che tiriamo giú... fra un mese
siamo ancora qui.

PRIMA OPERAIA   E fammi vedere: è la ricostruzione di un
processo che hanno fatto ai tempi di Stalin.

SECONDO OPERAIO   E che m'importa... sarà uno dei soliti
papocchi reazionari di propaganda anticomunista... tutto inventato e truccato!

PRIMA OPERAIA   Macché inventato... a parte che è una
casa editrice di sinistra che l'ha stampato e poi sono tutti documenti originali, c'è scritto nella presentazione:
«Dai verbali degli interrogatori, lettere e diari dei con-
dannati, dagli atti dei vari processi»... e compagnia bella.

SECONDO OPERAIO   Beh, di sinistra ci sono anche i trotskisti, tanto per dire. E se l'hanno stampato loro... figurati: pur di dare addosso a Stalin quelli cosa non ti in-
ventano! tutto originale, tutto autentico!

PRIMA OPERAIA   È stato messo insieme da un gruppo di
cecoslovacchi se vuoi sapere...

SECONDO OPERAIO   Ah, m'hai detto niente: «cecoslovacchi»... con 'sta massa di revisionisti reazionari che ci
trovi dentro... specie fra gli scrittori...

PRIMA OPERAIA   Piano, cecoslovacchi, ma del tempo di
Novotny e se non era stalinista quello... dimmi tu!

SECONDO OPERAIO   Che vuol dire? Stalin l'hanno tradito
in tanti anche da noi: «contrordine, era un matto, ba-

stardo, assassino» e subito via dietro a ruota: «agli ordini compagno!!»

PRIMA OPERAIA (*gridando*)   «No, non ti permetto d'insul-
tarmi... io non ho mai tradito... e tu lo sai meglio di me».

SECONDO OPERAIO   Ma chi ce l'ha con te?! O matta!

PRIMA OPERAIA   Non sono mica io che parlo cosí, è Kvanic...

SECONDO OPERAIO   Kvanic?

PRIMA OPERAIA   Sí, qui nel libro. E c'è il commissario politico che gli risponde: «Calma Borna Kvanic, tanto le
"sparate" qui non ci fanno nessun effetto... risiediti, e
rispondi per ordine alle mie domande: da quando sei
nel partito?»

Dalla cassa che sta in centro al palcoscenico spunta un
uomo. È Kvanic. Ogniqualvolta appariranno i personaggi dei vari libri ci sarà un cambio di luce. Solo loro saranno illuminati. I personaggi reali staranno ai lati
della scena, in penombra.

KVANIC   Dal tempo della guerra di Spagna. Ero scappato
di casa... ho impiegato un mese per arrivare a Bilbao...
lí, sono entrato a far parte delle Brigate Internazionali.
Avevo diciotto anni. Sono rimasto ferito due volte... la
seconda in modo piuttosto grave...

Da un'altra cassa si leva un secondo personaggio: il
Commissario del Popolo.

COMMISSARIO DEL POPOLO   Beh, questi sono particolari
che non interessano il processo... Piuttosto, in Spagna
hai avuto contatti con elementi trotskisti?

KVANIC   In che senso «contatti»? Nella mia brigata ce
n'erano parecchi di trotskisti, come c'erano degli anar-
chici e perfino dei socialisti... abbiamo combattuto insieme, insieme ci siamo riempiti di pidocchi, insieme ci
siamo beccati la scabbia e la dissenteria, insieme ci siamo fatti accoppare... questi erano i nostri contatti.

COMMISSARIO DEL POPOLO   Non fare il furbo Borna
Kvanic... tu sai cosa voglio dire!

KVANIC   Io so che laggiú io ero comunista come lo sono
adesso nonostante tutto e basta!

Di scatto da una terza cassa sorge un nuovo personaggio. Il Commissario della Guardia Civile Franchista.

COMMISSARIO FRANCHISTA (*gridando*) E basta un corno... Basta lo dico io! Basta di raccontar frottole, se no ti faccio mettere al muro senza manco il processo... e non se ne parla piú.

COMMISSARIO DEL POPOLO E questo chi è... da dove sbuca?

KVANIC È un commissario franchista... è quello incaricato di interrogare i prigionieri.

COMMISSARIO DEL POPOLO Ah, ti eri fatto beccare prigioniero?

COMMISSARIO FRANCHISTA Allora ti decidi a rispondere... o vuoi che ti prenda a pedate da spezzarti la gamba un'altra volta?

Entra un Carabinero.

COMMISSARIO DEL POPOLO Cos'è 'sto fatto della gamba spezzata?

KVANIC È per via delle ferite di cui ti parlavo prima... una scheggia di «sdrapen» m'aveva spaccato il femore. Ero all'ospedale quando c'è stata la ritirata dell'Ebro e cosí m'hanno preso... (*Di colpo emette un urlo*) Ahiaaaa!

Il Carabinero ha afferrato il piede di Kvanic e glielo torce.

COMMISSARIO DEL POPOLO Che ti prende adesso?

KVANIC Mi stanno torcendo la gamba... proprio quella rotta... Ahia...

COMMISSARIO FRANCHISTA Allora, ti vuoi decidere? Quanti dei vostri sono rimasti al di qua delle linee, dove si tengono nascosti, chi è il capo dei sabotatori, come tengono i contatti...

KVANIC Non so... non so niente... io sono sempre stato all'ospedale, gliel'ho già detto... come posso sapere?

COMMISSARIO FRANCHISTA E vuoi farmi credere che ti hanno abbandonato cosí... senza dirti una parola?

KVANIC Avevo la febbre... sempre... e molto alta... ce l'ho anche adesso la febbre... per via che ha fatto infezione... guardi la coscia com'è gonfia... sente anche lei come puz-

za, no... (*Il Commissario franchista grida un insulto e
dà un calcio alla gamba del prigioniero*). Pardon, mi scusi... ma in quei giorni della ritirata stavo peggio... stra-
parlavo... credevo proprio che sarei morto...

COMMISSARIO FRANCHISTA   Oh il povero rintontito moribondo... dagli un'altra torchiatina che cosí chissà che
non resusciti.

Il Carabinero esegue l'ordine.

KVANIC   Ahaaeahha!

COMMISSARIO DEL POPOLO   Kvanic... ascolta, e smettila
di fare 'sti versi... e stammi a sentire!

KVANIC   Volentieri... ma se questi continuano a torcer-
mi... ahaaa!

COMMISSARIO DEL POPOLO   E state buoni un attimo anche voi per dio... c'ero prima io a fare 'sto interroga-
torio, no?

COMMISSARIO FRANCHISTA   Eh no! in ordine cronologi-
co no! se permette la guerra di Spagna è avvenuta un
po' prima.

Il Carabinero esce di scena scomparendo nella cassa centrale.

COMMISSARIO DEL POPOLO   Borna, rispondimi in tutta
sincerità... tu alla fine hai parlato, vero?

KVANIC   Sí, ho parlato, ho capito che non mi conveniva
piú e cosí ho buttato fuori tutto: nomi, cognomi, indi-
rizzi... ho parlato per almeno un'ora di seguito...

COMMISSARIO DEL POPOLO   L'avrei giurato... bella tem-
pra di compagno! Hai cominciato presto a tradire eh?

COMMISSARIO FRANCHISTA (*riavvicinandosi a Kvanic*)
D'accordo, cosí ad occhio e croce la canzone pare che
funzioni... ma t'avverto che se per un caso salta fuori che
ci hai raccontato delle frottole, io ti faccio...

KVANIC   Sí, commissario... ci ha azzeccato... le ho proprio
raccontato delle frottole... ma è lei che ha fatto di tutto
perché io gliele raccontassi... se le dico la verità vera,
cioè che io non so niente di niente, lei mi fa torcere la
gamba da crepare che è un male spaventoso...

I DUE COMMISSARI (*all'unisono*)   Ma a che gioco stai giocando?

CARABINERO (*rientrando dalla cassa centrale*) Abbiamo verificato commissario: è tutto falso, perfino i nomi delle strade risultano inventati...

COMMISSARIO FRANCHISTA Maledetta carogna, comunista porco! Vieni a prendere per il sedere proprio me!! (*Lo picchia con violenza inaudita*). Ma io ti ammazzo... ti ammazzo!

CARABINERO Basta, commissario, è inutile, è svenuto, non vede? Gli facciamo un favore se lo ammazziamo cosí... non sente piú nessun male ormai...

Il prigioniero sta riverso al suolo, il Commissario del Popolo esce dalla sua cassa e si avvicina al prigioniero, lo scuote.

COMMISSARIO DEL POPOLO Sveglia Borna... mi senti? Borna Kvanic?

KVANIC (*dolorante*) Sí, ti sento, ti sento... che vuoi compagno commissario?

COMMISSARIO DEL POPOLO Ma tu lo sapevi o no?

KVANIC Di che cosa?

COMMISSARIO DEL POPOLO Sapevi dov'erano nascosti i tuoi compagni?

KVANIC Ma che t'importa? Cosa interessa a te del fatto che io sapessi o meno... tanto, qualsiasi cosa ti vengo a raccontare tu e i tuoi soci vi siete già fatta la vostra brava idea inconfutabile... bella, stampata nel cranio: «Borna Kvanic è uno della banda di Slansky... un traditore, sporco opportunista, nemico della repubblica cecoslovacca... trotskista, spia del capitalismo...»

Cambio di luce.

SECONDO OPERAIO (Stalinista) Sentite, vogliamo dargli un taglio con 'sta lagna? Avanti, butta 'sto libro nella sua cassa (*Tutti i personaggi del libro cecoslovacco si ritirano*) e andiamo avanti a imballare ma sul serio. E guai a chi legge ancora una pagina... Non avete mai letto un rigo in vent'anni, porco giuda! e adesso vi viene la fregola tutta d'un colpo? Cos'è?

PRIMA OPERAIA Sbaglio o ti dà un po' sulla grattirola del «no-li-me-tangere» che si vada a tampinare su certi argomenti rognosi... tipo «processo-purghe-al-muro» che

tanto dopo arriva la riabilitazione e alimorta – liberi
tutti!

SECONDA OPERAIA   Beh, se rugola a lui invece a me interessa perché sono curiosa, oltre che comunista, e non
mi vanno giú quelli che fanno come i gatti, che le loro
«robe» sgarrose le vanno sempre a nascondere sotto la
sabbia... Cosí che dopo c'è un sacco di gente ingenua
che dice: «Ma lo sai che i gatti non fanno mica la cacca? Forse sono fatti come le bambole».

OPERAIO STALINISTA   E cosí anch'io farei il gatto copri-
cacca? No, io non le nascondo le «robe sgarrose» come
dici tu! anzi, mi piace che si lavino in piazza... Ma non
a quella maniera da figlio di buona donna, come si fa in
quel libro lí dove cosí... senza far finta di niente ti mette tutto in un mazzo: il commissario della guardia civile e il commissario del popolo... tutti e due a braccetto,
come dire che fascisti e comunisti sono la stessa roba...

SECONDA OPERAIA   No, non esagerare, non li mette affatto a braccetto...

OPERAIO STALINISTA   Oeu ancora un po'...

PRIMA OPERAIA   Tanto è vero che il fascista fa picchiare
il prigioniero, lo tortura, e invece l'altro...

STALINISTA   L'altro sta a vedere! E poi guarda, a me non
me ne frega niente di quello che è successo in quei tempi lí... Che gusto c'è di andare a rivangare su Stalin, dei
processi, di Slansky, di Kadach e del porco Giuda! D'accordo... ci saranno stati degli errori... non dico di no...
anche gravi... ma vai a tirarli fuori proprio adesso, con
quello che sta bollendo in pentola in questi giorni... dico, a parte il Vietnam, la Grecia, gli arabi... siamo in piena battaglia sindacale... ci sono i padroni che fanno i pre-
potenti che non ti dico, i generali sempre pronti per il
colpo di stato... i fascisti che ritirano fuori il crapone
come una volta. E allora, se vuoi parlare di processi...
(*afferra alcuni giornali*) parliamo di quelli che si fanno
in continuazione ogni settimana... contro gli scioperan-
ti, i braccianti, gli studenti... guarda qua. «Processo Trimarchi», basta leggere delle testimonianze.

Cambio di luce.
Un ragazzo spunta da dietro una cassa. È lo Studente.
Dopo di lui spunta il Giudice.

STUDENTE   Ho mentito...

GIUDICE   Voce, parli piú forte.

STUDENTE   Ho mentito, di quello che avevo detto al giudice istruttore non è vero niente. Io facevo parte della Confederazione...

GIUDICE   Cos'è?

STUDENTE   È un'organizzazione di destra. Giovedí 21, insieme ad un gruppo di dirigenti della Confederazione siamo andati in Questura.

GIUDICE   Perché?

STUDENTE   Si trattava di fabbricare delle prove false a favore del professor Trimarchi contro gli studenti incriminati.

GIUDICE   Avanti...

STUDENTE   La parola d'ordine era «decapitare il movimento e le altre organizzazioni di sinistra», riuscire a farli condannare tutti a pene le piú gravi possibili.

GIUDICE   Chi c'era della Questura?

STUDENTE   Era un funzionario, che tutti chiamavamo «dottore». Ci ha portati allo schedario e lí ci ha mostrato delle fotografie tenendoci coperto il nome con una mano. Se riconoscevamo lo studente della foto allora ci veniva detto il nome, il cognome e la facoltà a cui era iscritto. Cosí abbiamo imparato a memoria i nomi di tutti gli imputati e anche quello che avremmo dovuto dire in testimonianza, al processo, e anche quello che avremmo dovuto aver visto e sentito durante i disordini e che nessuno di noi aveva mai visto, né sentito.

GIUDICE   Chiedo che gli atti della deposizione mi siano trasmessi, per poter esercitare azione penale in ordine al reato di calunnia.

Cambio di luce. Il Giudice e lo Studente si ritirano.

SECONDA OPERAIA   Ma di quello lo sapevamo già... lo sanno tutti... c'è stato su un sacco di giornali... Invece è di 'sto periodo qui che nessuno sa dirmi un'ostrega mai! Ma è possibile che tutte le volte che cerco di capirci qualcosa, c'è sempre qualcuno che mi salta fuori a dire «che no, che non è il caso, che è roba passata... che bisogna pensare al presente...» No invece! Mio papà mi diceva sempre «che se uno non sa da dove viene, cos'è successo prima... è difficile che riesca a capire per dove sta andando adesso!» Quindi fammi capire... per favore stai buono e lasciala leggere... (*Alla ragazza*) dài continua tu... (*Di colpo si sente un gran frastuono, come una esplosione, e delle grida*). Che succede?

STALINISTA Niente, stavo sfogliando un libro sull'anarchia... (*Lo riapre*).

Altro botto e si sente cantare a squarciagola:
Nostra patria è il mondo intero... nostra legge è la libertà...

SECONDA OPERAIA Chiudilo per favore... e mettilo in fondo alla cassa, sotto tutti i libri che quello ci spacca le orecchie...

STALINISTA E magari anche qualcos'altro!

SECONDA OPERAIA E tu, non leggertelo da sola il tuo libro... Facci sapere qualcosa anche a noi.

PRIMA OPERAIA E va bene leggo anche per voi, basta che facciate silenzio: «Oh Borna... (*Cambio di luce. Entra in scena in secondo piano la moglie di Borna Kvanic*) per me è sempre come quella volta a Hvozdy che facemmo il bagno vestiti e poi abbiamo dormito nudi avvolti in una sola coperta, ti ricordi?»

SECONDA OPERAIA Chi è che parla?

PRIMA OPERAIA È la moglie di Borna Kvanic quando lo va a trovare in prigione...

Ricompare anche Kvanic con il Commissario del Popolo. La moglie gli va vicino gli tiene le mani strette gliele accarezza e ogni tanto lo bacia.

MOGLIE Come quella volta anche adesso ti sto vicino con tanta gioia da non starci nella pelle. Salendo le scale mi sono dovuta fermare tre volte... correvo e il cuore mi sbatteva in gola...

STALINISTA Ma che teleromanzo è questo?

SECONDA OPERAIA E sta' buono...

MOGLIE Senti come tremo... quando ti sono venuta a prendere al campo di Dachau che ti ho visto che eri ancora vivo, anche se parevi un cadavere... ti ricordi come mi sono messa a ridere... che non mi fermavo piú?
Anche adesso mi sento di ridere... perché ho tanta commozione... e non so come tirarla fuori... Borna, io ti credo, t'ho sempre creduto... piú di tutti, piú di mia ma-

dre, ma se il partito dice che tu sei colpevole, io credo
al partito! Borna, ho chiesto il divorzio!

KVANIC   Il divorzio?

MOGLIE   Sí, lo so che è una coltellata... ma non posso farne a meno, prima ancora di essere tua moglie, io sono
comunista... e tu lo sai come la penso.

KVANIC   Ma tu mi conosci, sai tutto di me...

MOGLIE   Io ti amo Borna e una donna innamorata è peggio che cieca... lo dice anche il proverbio. Io credevo di
sapere tutto di te...

KVANIC   Ma adesso il partito ti ha aperto gli occhi, vero?
E non hai dubbi... non pensi che ci possa essere un errore...

MOGLIE   Un errore sí... ma dieci, venti... quante sono le
imputazioni di cui devi rispondere, no... non può essere.

KVANIC   Hai fatto bene a chiedere il divorzio... Cosí la-
sceranno in pace almeno te...

MOGLIE   Questo non dovevi dirlo Borna... è molto basso
e meschino... io non ho chiesto il divorzio per restare in
pace! Se fossi convinta della tua innocenza mi farei
scannare, mi farei mettere in galera con te!

KVANIC   Come sta facendo la moglie di Slansky... lei l'ha
rifiutato il divorzio... tu l'hai chiesto!

MOGLIE   Sono affari suoi... lei è una borghese che non ha
mai smesso di vivere da borghese e che difende un marito borghese e aristocratico, anche se era il segretario
generale del partito... fa bene, è coerente! Io, il giorno
dopo che ti hanno arrestato sono andata a lavorare in
fabbrica... operaia apprendista... vivo in due camere coi
bambini...

KVANIC   Come stanno i bambini? che gli hai detto di me?

MOGLIE   A scuola i compagni gli hanno fatto vedere il
«Rude Pravo» con il tuo nome fra gli arrestati... Io gli
ho detto che non eri tu... ma un nostro lontano parente... E che non potevi essere tu quello... perché tu... tu
sei morto...

KVANIC   Sono morto?

COMMISSARIO FRANCHISTA (*spuntando da una cassa*)
Borna Kvanic sei morto! E con te tutti i comunisti porci morirranno! (*La Moglie si allontana di qualche passo*).

UN NAZISTA (*spuntando da un'altra cassa*)   Sei morto...
Kvanic! ti farò tagliare la testa come a quell'altro tuo

compare Fucil Julius! Che deficiente! uno che ha la fortuna di non nascere ebreo, non è nemmeno operaio, non
è contadino... guardalo lí, va a fare il comunista... ma
perché? (*Si ritira*).

COMMISSARIO DEL POPOLO   Dammi retta Borna... ti conviene firmarlo 'sto verbale... vedi, forse io sono l'unico
che ti possa aiutare, l'unico che sa che tu non c'entri se
non in parte... solo cosí ti puoi salvare.

KVANIC   Salvare da che? Se sono morto... Sono morto!
che vuoi da me? E poi perché dovrei raccontare che ero
della banda di Slansky... solo per fregarlo un po' di piú...
per dimostrare che aveva organizzato una sua cricca?
Ma certo, ce l'aveva di sicuro! ma io non c'entro... non
mi mettete di mezzo tanto per far numero. Io non l'ho
mai potuto soffrire quel figlio di bottegai, festaiolo, in-
trallazzatore... ma voi volete sporcarlo proprio da capo a
piedi... sbatterlo nella fogna... giú, anche quelle poche
cose buone che ha fatto... perfino di quando era partigiano, di quando i nazisti l'hanno torturato, l'hanno ba-
stonato sui reni che piscia sangue ancora adesso!

COMMISSARIO DEL POPOLO   Sullo schedario della Gesta-
po è segnato come «Capo trotskista, ebreo... Sionista!»

KVANIC   Allora evviva la SS che ogni tanto ci torna buona! Scusa, ma questa faccia che hai sul distintivo non è
quella di Jan Sverma... l'eroe di Brno?

COMMISSARIO DEL POPOLO   Sí, è Jan Sverma.

KVANIC   Marta ascolta... ti ricordi di quando abbiamo passato il valico di Nizke Tatry nel '44 con i tedeschi alle
calcagna...

MARTA   Me lo sogno spesso... e tutte le volte vedo la faccia smorta di Jan Sverma che dice «lasciatemi qui... non
perdete tempo... i tedeschi ci stanno addosso... non voglio che poi mi tiriate moccoli e maledizioni... tanto io
sto crepando...»

KVANIC   E ti ricordi di quando è cominciata la bufera e
l'abbiamo perso di vista lui e il suo gruppo che era rimasto indietro... ti ricordi le bestemmie di Slansky?

Sulla parte alta della scena appare Slansky. Ha un cappello di pelo e un gran mantello nero.

SLANSKY   Bastardi... figli di puttana... avevo detto di tenere i contatti, di non mollarlo mai...

Appaiono alcuni partigiani tra cui Kvanic e la moglie. Tutti indossano mantelli e cappelli.

PARTIGIANO   Ma è colpa della bufera Slansky... non ci si vede a un metro...

SLANSKY   Indietro... si torna tutti indietro a cercarlo...

KVANIC   Ma chissà dove s'è cacciato... può darsi che ci passiamo a un metro e con 'sta nebbia manco lo vediamo...

SLANSKY   E allora continuiamo a chiamarlo... tutti insieme... Sverma... Jan Sverma! Insieme ho detto!

PARTIGIANO   Ma i tedeschi ci sentiranno...

SLANSKY   Peggio per noi! per quanto mi riguarda non mi potrei mai perdonare d'averlo lasciato morire. Avanti gridate... gridate con tutto il fiato che avete: Jan Sverma...

CORO   Jan Sverma...

Mentre scendono verso il proscenio mimando una camminata nella neve alle loro spalle sale la figura di un Giudice.

GIUDICE   Il popolo Cecoslovacco contro Rudolf Slansky... (*Rivolto a Slansky*) Rudolf Slansky ammettete di avere a piú riprese sabotato la lotta partigiana contro i nazisti?

SLANSKY (*senza staccarsi dal gruppo*)   Sí, ho cercato spesso di sabotarla.

CORO   Jan Sverma! Jan Sverma!

SLANSKY   Per cominciare mi sono guardato bene dal mobilitare i partigiani, per assicurare gli sviluppi democratici e progressisti dell'insurrezione slovacca.

CORO   Jan Sverma!

SLANSKY   Non scendete in fila come pecoroni... Allargatevi! Prendiamo piú spazio possibile, no.

GIUDICE   Ammettete di aver creato scientemente le condizioni per la morte del capo partigiano Jan Sverma?

SLANSKY   Sí. Jan Sverma era un fedelissimo del partito comunista cecoslovacco, era un grande combattente ed eroe della lotta partigiana. Io, al contrario, militavo nel campo degli avversari.

CORO   Jan Sverma!

SLANSKY   Quindi Jan Sverma era per me un nemico da

eliminare. Fin dall'inizio della marcia attraverso le montagne Nizk e Tatry mi resi conto che Jan Sverma era debole e ammalato. Cominciai col privarlo di ogni sostentamento.

CORO   Jan Sverma!

SLANSKY   Camminava con fatica. Restava indietro, perdeva continuamente i contatti...

Alcuni partigiani sono scesi tra il pubblico.

PARTIGIANO   È qua... l'abbiamo trovato... È vivo!

Anche Slansky scende in platea e aiuta a trasportare il corpo di Jan Sverma sul palcoscenico. Si fermano in proscenio.

SLANSKY   Come va Jan? Forza, tiratelo su.

MARTA   Le scarpe... è senza scarpe.

SLANSKY   Ma come t'è successo?

JAN   Sono rotolato di lassú. Erano grandi. Mi sono uscite.

MARTA   I piedi! Bisogna strofinarglieli subito con la neve.

SLANSKY   Le fasce! Chi ha delle fasce?

JAN   Lo sapevo Rudy, lo sapevo che mi saresti venuto a cercare...

GIUDICE   Slansky!

SLANSKY   Ah, sí scusate, compagno Giudice, che stavo dicendo?

GIUDICE   La vostra responsabilità sulla morte di Jan Sverma...

SLANSKY   Ah sí... (*Massaggiando i piedi di Jan Sverma*) Confesso, confesso la mia responsabilità sulla morte di Sverma e la riconosco pienamente.

Marta si allontana dal gruppo, raggiungendo il marito che si trova in proscenio.

MARTA   Ma che sta dicendo? Perché s'inventa 'ste cose?

KVANIC   Aspetta, lascialo continuare...

SLANSKY   Sverma aveva perso le scarpe e io gliele procurai: un paio molto leggere. E soprattutto non mi curai di organizzare un trasporto efficiente. (*Egli stesso si carica Sverma sulle spalle, aiutato da altri tre*).

JAN   Rudy è inutile; questo è un trasporto funebre. Non
serve che mi portiate dall'altra parte. Mollatemi qua.
Ormai il bel gesto l'avete fatto. Mettetemi giú, preferisco crepare da fermo.

I quattro mimano sul posto, faccia al pubblico, una camminata faticosa e piena di oscillazioni.

SLANSKY   No, sei una brutta bestia Jan, non sei tipo da
crepare per cosí poco. Forza, cantiamo che altrimenti
con questa tormenta ci addormentiamo in piedi... (*Cantano in tono sommesso*)
    Sta' su, marciam, dài che all'inferno andiam!
    Non abbiam niente noi da salvare
    solo la pelle abbiam da giocare, forza!
    forza, dobbiam guadagnare
    una vita che valga campar
    sta' su marciam, dài, che all'inferno andiam!
    dentro la pancia di una carogna
    siam tutti nati morti
    morti con gli occhi abbassati
    bestie che non han dignità
    sta' su marciam, dài, che all'inferno andiam!
GIUDICE (*con voce portata che sovrasta la canzone che continua ad essere cantata sottovoce*)   Slansky, diteci in
che misura è servito, questo vostro crimine, agli inte-
ressi del nemico di cui eravate l'agente.
SLANSKY (*marciando sul posto sempre portando Sverma*)
La sua morte fu una gran perdita per il Partito, e quindi
un gran vantaggio per il nemico. Altro vantaggio fu determinato dal fatto che la morte di Jan Sverma causò
un grande colpo nel cuore del popolo cecoslovacco; popolo che lo amava, e vedeva in lui il combattente piú pu-
ro per la libertà. Siccome io ero dalla parte del nemico,
la morte di Jan Sverma serví anche a me. La sua fine fa-
cilitò la mia attività sovversiva.

A questo punto la canzone cresce e il gruppo dei partigiani retrocede come in una carrellata a rovescio, fino a
scomparire sul fondo.

MARTA (*rimasta in proscenio col marito come assistessero
al vero processo*)   Ma che razza di deposizione è que-

sta? È stato un suicidio. La deposizione di uno che ha
voluto distruggersi ad ogni costo.

KVANIC   Infatti...

MARTA   Parlava come se avesse imparato tutto a memoria.

KVANIC   L'hai detto: tutto a memoria, ogni giorno una
pagina.

MARTA   Recitava, e recitava male; una commedia scritta
da un dilettante trombone: una farsa scritta da un poliziotto.

KVANIC   Già: la farsa dei poliziotti.

Vengono portate in scena tre pareti di tamburato con le
quali, a vista viene costruita una cella. Entra Rudolf
Slansky. Ai suoi lati ci sono due poliziotti che camminano tenendo appesi a due stanghe di legno, una per
parte, sei paia di stivali e li fanno danzare al passo, come fossero gli stivali di altrettanti poliziotti invisibili.
Sistemano Slansky in cella, gli tolgono le manette e se
ne vanno. Slansky cammina in su e in giú per la cella.
Fuori dalla cella c'è un poliziotto di guardia che spazzola un paio di stivali e canticchia.

POLIZIOTTO
     Sette passi verso la finestra,
     sette passi verso la porta...
     dietro front! Ogni condannato l'impara presto.
     Lo cantava anche Lenin, quand'era in galera.
     Sette passi verso la finestra,
     sette passi verso la porta...
     Devi camminare in su e in giú
     se vuoi illuderti di essere vivo
     in su e in giú
     come fa l'orso, come fa la iena.
     Per il ribelle non c'è speranza
     per chi ha tradito non c'è pietà.

MARTA (*avvicinandosi alla cella di Slansky*)   Slansky, la
gente, anche i poveracci, ti stimavano... avevano fiducia
in te... soprattutto per quello che avevi fatto da partigiano. Non avrebbero mai accettato che ti condannasse-
ro, qualsiasi errore tu avessi combinato... L'unica carta
che avevi in mano per salvarti!

SLANSKY (*parla come seguendo un proprio pensiero*)   Là
camminavo, fermo, sicuro, in mezzo alla gente. L'occhio

di Mosca mi chiamavano. Ero sveglio, compagni, ero
sveglio! Una folla, una folla di teste, di bandiere rosse,
di gente che gridava «Viva! Viva Rudy Slansky!» Nelle
strade, nei campi, nelle fabbriche la gente lavorava, ave-
va fiducia, era tranquilla. (*Gridando*) Slansky, ti ritieni
colpevole dei crimini di cui sei accusato?
Sí
Slansky sei una spia! spia degli americani!
Sí
Sei un traditore! Hai tradito il popolo.
Sí
Sabotatore!
Sí
Sei accusato di tradimento militare. Ti ritieni colpevole?
Sí!
Sí, trotskista, titoista, sionista, affarista... Sí, sono un affarista. Ma per chi? Per la Cecoslovacchia! Mi sono messo a commerciare con i capitalisti, come ha fatto Tito.
Ma meglio di lui. Perché io sono piú furbo. Vendevo
merce, la piú buona che ci fosse sul mercato. «Il mer-
cato»! Ecco, volevo conquistarmi una fetta di «mercato»! Farmi un mercato! Entrare in concorrenza. È vero,
ho venduto sottocosto. Ma ho anche guadagnato. Ho fatto degli affari. Dollari! Sicuro, dollari sono entrati nelle
nostre casse. E con quei dollari abbiamo aiutato anche la
lotta in Indocina e gli algerini.

A lato della cella.

OPERAIO STALINISTA   Bravo! Però non ci vieni a raccontare che con quel commercio lí hai fregato tutto l'anda-
mento socialista. E Stalin per primo!
SLANSKY (*senza guardarlo*)   Ah certo, lo ammetto, i sovietici, i polacchi avevano bisogno dei nostri apparecchi di
precisione, delle nostre macchine utensili...
OPERAIO STALINISTA   E invece tu... Chi offre di piú? Ti
sei fatto gli affari tuoi!
SLANSKY   Affari miei? No, della Cecoslovacchia, del popolo cecoslovacco.
OPERAIO STALINISTA   E l'Internazionale comunista dov'è
andata a finire? dove ce la mettiamo? Eh, la storia l'è
vecchia, torna di moda anche adesso... l'Internazionale
comunista sí, ma però a casa propria ognuno si fa i fatti

suoi. E Stalin t'ha stangato! t'ha messo giú piatto e ha
fatto bene! (*Ritorna nell'ombra*).

SLANSKY   Certo, ha fatto bene. Al suo posto avrei fatto
anch'io cosí.

POLIZIOTTO (*torna a cantare. Slansky riprende a cammina-
re avanti e indietro*)
       Sette passi verso la finestra
       sette passi verso la porta
       lo cantava anche Lenin quand'era in galera.

SLANSKY (*incomincia a cantare sovrastando la voce del poliziotto*)
       Era in galera ma non era solo
       tutti i Soviet eran con lui,
       il popolo rosso era con lui.

MARTA   Slansky, di tutto quello che facevi hai mai chiesto parere alla base, tu?

SLANSKY   Ma cosa vuoi che ne sappia, la base? Di mercato, di programmazione, movimenti bancari... bisogna
essere tecnici. Non si può chiedere il parere a tutti quanti. Negli affari bisogna essere veloci... Autonomi. Un
colpo di telefono, e arrivare prima di tutti! E poi cosa
vuole la gente? Mi dicevano: fai tu Slansky! Noi abbiamo fiducia... basta che ci fai star bene, noi ci fidiamo di
te. E devono fidarsi! La fiducia nel socialismo è tutto! Se no, cosa mi avete eletto a fare? Chi ha fondato
il comunismo in Cecoslovacchia? Io! Chi ha debellato
i nemici del socialismo? Io! Gli assassini, i terroristi, i
nazionalisti? Vi siete dimenticati? Ogni settimana ci
facevano fuori un nostro commissario del popolo, un dirigente operaio... (*Si rivolge al poliziotto di guardia*) E
chi ha organizzato questa polizia? Io! Chi vi ha messo
addosso questi stivali a voi, 'sti tacchi di ferro per schiacciare i nostri nemici?

MARTA   Tu! Ma stanno schiacciando anche te!

SLANSKY (*volutamente non raccoglie*)   Noi, abbiamo messo giú le rotaie del socialismo... sopra ci deve correre il
treno del proletariato. Su, salite tutti! Operaie, intellettuali, contadini, andiamo tutti verso il benessere, verso
l'avvenire... Ma chi guida? Chi fa il macchinista? Uno,
uno solo deve guidare! In Russia c'è Stalin, qua ci sono
io... C'ero io...
Uno solo, che sa far andare la macchina. E tu, popolo,
butta dentro il carbone! Scendi a spalare quando c'è

troppa neve! Scendi a spingere se siamo troppo in sali-
ta... Che se siamo in discesa, a frenare ci pensano i nostri dirigenti. Fidati, popolo, vieni alle sedute, ascolta le
relazioni, applaudi, acconsenti, fai qualche critica, ma
che sia marginale, esalta, sostienici, vota favorevole...
Favorevole!

MARTA   E il dubbio?

SLANSKY   Che dubbio?

MARTA   Quello della canzone! «Dubita, dubita sempre!
Anche di tuo padre devi dubitare».

SLANSKY   Il dubbio è una debolezza borghese, da intellettuali... Di chi ha tempo da perdere... Il socialismo ha
fretta!

Entrano due poliziotti che legano Slansky passandogli le
corde intorno a tutto il corpo.

MARTA   Slansky, tu credi che siano stati i giudici a con-
dannarti... I giudici e la polizia... Non hai capito niente!
È stato il popolo a farti fuori. Tu ti sei staccato da lui,
l'hai scaricato, non l'hai chiamato al tuo tavolo. E al momento giusto il popolo ha lasciato fare ai capi come tu
gli avevi insegnato. Al tuo processo li hai visti gli operai? le donne? e tutta la gente che guardava dalle tran-
senne? Erano lí interessati, come se fossero a vedere
un'opera: «Chi sono quelli lassú? Degli attori, dei can-
tanti?» Recitano una storia che non li riguarda, che non
li tocca... La vostra morte è un incidente previsto, è già
scritto nella partitura. Succede lassú, fra solisti, fra prime donne...

I due poliziotti hanno finito di preparare Slansky per
la «MORTE». Ora gli coprono la faccia con un sacco. Le
pareti della cella vengono tolte a vista. Viene mimata
l'IMPICCAGIONE. I due poliziotti fanno il gesto di tirare
la fune. Slansky si rizza di scatto sulla punta dei piedi e
tende il collo alla maniera degli impiccati. La scena si
blocca. Buio.

Luce bassa. La scena inizia come la fine del primo atto cioè si ripete l'impiccagione di Slansky. Poi i poliziotti mimano la deposizione dell'impiccato. Il corpo di Slansky viene portato fuori scena. Durante il trasporto Marta ripete l'ultima battuta del primo atto.

MARTA   Ci sei mai andato a discutere sul serio con gli operai, con i contadini?...

Cambio di luce. Riprende l'azione nella Casa del popolo.

OPERAIO STALINISTA   Già sul serio, alla pari, magari beccarti dei sacramenti e dei vai a farti fottere, te e la tua chiacchera! Come ha fatto questo qui... (*Mostra un libro*).
PRIMO OPERAIO   Chi è?
OPERAIO STALINISTA   Oh niente, uno studentello, un morto di fame... mezzo rachitico, che andava alla Fiat a rompergli le scatole, a contargliela su agli operai.

Viene illuminato un ragazzo seduto su di una cassa. È uno studente. Suoi interlocutori sono alcuni operai in tuta.

OPERAIO IN TUTA   Orco, se rompe davvero, quello lí! ci ha una lappa! E viene qui a farci la lezione proprio a noi! Ma cosa vuole saperne lui di fabbrica? Ma l'ha mai tirata la lima, lui, quello lí?
SECONDO OPERAIO   Fallo andare avanti, che non dice mica delle cose stupide, veh! Per me parla pulito!
OPERAIO IN TUTA   Ma è uno studente! È un'altra razza! Non c'entra niente, con noialtri! Ci ha gli occhiali a stanghetta, mano di velluto... E poi è anche un terrone!

Il ragazzo non reagisce. Sorride.

SECONDO OPERAIO   Eccolo lí che viene fuori che sei una
bestia! Proprio come gli piace al padrone! Ignorante, tifoso e razzista.

OPERAIO IN TUTA   Beh, per me sei piú bestia te che gli stai
a dar corda, a quello lí! Viene qui a sobillare, lui e il suo
gruppetto di estremisti, ci vuol far fare il lamento a ogni
costo, e proprio adesso, con tutti i miglioramenti che ci
ha fatto il padrone... Se penso che prima, al trapano, tutto a forza di braccia dovevo andarci giú, a spingere, sulla
leva, che prima di sera ce le avevo rotte... E adesso basta che schiaccio un bottone...

STUDENTE   Scusami, quante volte lo schiacci quel bottone, in un giorno? Quanti pezzi ti tocca fare, adesso?

OPERAIO IN TUTA   Venticinque. È il mio cottimo.

STUDENTE   E prima ne facevi dieci, vero?

OPERAIO IN TUTA   Sí, ma adesso con le braccia faccio meno fatica di prima.

STUDENTE   Con le braccia, ma gli occhi? Quante misurazioni, col calibro, ti tocca fare in piú adesso? Il triplo,
no? E come ti va la testa dopo, la sera?

OPERAIO IN TUTA   Beh, mi fa un po' male... qui (*Fa segno
in mezzo agli occhi*).

SECONDO OPERAIO   E non ti ha detto che domani ci portano il cottimo a trenta pezzi.

STUDENTE   Già, domani a trenta, fra un mese a quaranta... I miglioramenti non sono per voi, sono per la produzione, per farvi rendere di piú! E fra poco non dovrete piú allontanarvi dal tornio per andare a prendere
i pezzi. Ve li faranno arrivare lí, su un tappeto scorrevole, come fanno già in America...

OPERAIO IN TUTA   Ma va'! Un tappeto scorrevole?

STUDENTE   Sí, su dei rulli... E vi faranno credere che è tutto per non farvi scomodare, per aiutarvi... E cosí non
camminerete piú, lí incastrati tutto il giorno... E non saranno piú né trenta, né quaranta, i pezzi... Saranno
cento, duecento, quattrocento!

OPERAIO IN TUTA   Oh tiraman! Ma cosa ci vieni a contare la storia del mago? A parte che se facciamo piú pezzi
vuol dire che ci saranno anche le macchine che lavorano meglio e piú forte... Guadagna piú il padrone, ma
guadagniamo di piú anche noi!

STUDENTE   No, sarà sempre il padrone a guadagnarci. A
voi cresceranno qualche soldo di stipendio, ma vi cresceranno anche i bisogni. Sarà la dinamica stessa del profitto a crearveli, ad imporveli. E dovrete lavorare di piú,
dovrete fare sempre piú straordinari, movimenti sempre piú piccoli, meno faticosi singolarmente, ma quando cominceranno a diventare cento, mille, quattromila,
allora ci sarà da impazzire, non sarete piú degli operai,
ma scimpanzè, come dice un certo Taylor, tanti scimpanzè con la tuta, ammaestrati...

SECONDO OPERAIO   Bravo Gramsci, per me ci hai ragione.
Ce ne vorrebbero tanti, come te, qui in fabbrica, a farci
il discorsino...

OPERAIO IN TUTA   Macché discorsino! Quello lí viene qui
a farci il capopopolo, a spaventarci... Sai Gramsci, cosa
ti dico, che tu, con quelle idee lí, il partito che hai in
mente di fare non ci riuscirai mai a metterlo in piedi!
Questo te lo dice uno che se ne intende.

Buio sullo studente e gli operai in tuta.

TERZO OPERAIO   Mamma, era il Gramsci, quello lí?

STALINISTA   Sí, lui, nel diciannove. Lo racconta in 'sto libro questo operaio, Santhià si chiama, che oramai avrà
settant'anni.

PRIMO OPERAIO   Sí, anche ottanta!

PRIMA OPERAIA   Ma guarda, e io che credevo che fosse
una scena di adesso, di quegli studentelli lí un po' cinesi, che vedi sempre intorno alle fabbriche, che vengono
a parlarci insieme. Che poi i sindacalisti, qualcuno si
arrabbia, e dice «Cacciateli via! Che sono dei sovversivi».

STALINISTA   Perfetto. Infatti era un sovversivo anche il
Gramsci, eccome! Era uno che veniva a dirci, a noi operai: «Smettetela di considerare i sindacati come l'avvocato, al quale si paga la parcella. E poi è lui che ci deve
pensare a difenderci. Faccia lui, basta che a noi ci lasci
tranquilli!» E non ti dico come trattava gli intellettuali,
quelli di carriera!

Luce su Gramsci.

GRAMSCI Dobbiamo smetterla di considerare l'operaio come una marionetta che non sa, che non può sapere, perché non ha cultura. L'operaio sa, perché è l'avanguardia del popolo, perché il popolo ha una grande cultura... Il potere borghese, aristocratico, la Chiesa gliel'hanno in gran parte distrutta, sotterrata, ma è nostro dovere fargliela ritrovare.

TERZO OPERAIO Orco, come parla pulito.

GRAMSCI Il nostro è un partito diretto da intellettuali. Gli operai devono diventare gli intellettuali del nostro partito.

STALINISTA Uhei, questa teniamocela in mente, eh!

GRAMSCI Pessimi marxisti sono quelli che del proletariato e delle sue risorse hanno minima fiducia... L'operaio è pigro per sua natura, si sa, dicono, non affatichiamolo con discorsi difficili, diamogli quello che può comprendere, stiamo terra terra... Attenti, compagni, che per questa strada la nostra cultura rimane impantanata nella sagra del paese! Nella festa del santo patrono.

Buio su Gramsci che scompare definitivamente.

PRIMA OPERAIA Hei, sbaglio, o prima ancora che li inventassero ce l'aveva già su con un certo andazzo dei festival dell'Unità, 'sto dritto?

STALINISTA Ma non dire cretinate, cosa c'entrano i festival dell'Unità? La verità è che più si va avanti a darci un'occhiata a 'sti libri, e più ti vien voglia di sputare per aria e poi di andarci sotto a beccarti la relativa ciccata nell'occhio.

TERZO OPERAIO Ma cosa ti salta?

STALINISTA Ma non ti rendi conto che qui ci è andato il cervello in acqua a tutti quanti? Ma tu, lo sai chi e come e perché l'hanno tirata in piedi 'sta Casa del popolo, stai attento eh, nel 1920?

PRIMA OPERAIA Oheu, la miseria, mio padre m'ha fatto una testa cosí, di quando loro andavano a fregare i mattoni al cantiere dei fascisti e poi lavoravano di notte... hanno cominciato proprio col tirar su 'sto stanzone per la biblioteca.

STALINISTA Ecco, la biblioteca, e noi gliela smantelliamo!

QUARTO OPERAIO Già! Ti ricordi? «Ad un povero che ti

chiede l'elemosina... – c'era scritto – dagli due soldi per
il pane e tre soldi perché si comperi un libro». Era scritto proprio lí, sulla porta d'ingresso. Poi sono arrivati i
fascisti, e ci hanno dato sopra una bella mano di calci-
na... hanno bruciato tutti i libri «sovversivi»...

STALINISTA   E noi stiamo facendo di peggio mi pare.

PRIMA OPERAIA   Ah, già che gli stiamo facendo un bel
servizio davvero ai nostri vecchi!

In proscenio di lato un ragazzo sta strimpellando con
fatica un motivo alla chitarra. Canticchia leggendo su
di uno spartito.

ALTRO OPERAIO   Ehi, ma cos'è? la predica del venerdí santo? Cosa stai a fare il lamento sui nostri poveri vecchi
traditi, che sono proprio loro i primi a strafregarsene...
a tradire quello che hanno fatto! Vai di là nel salone del
bar a vedere come soffrono... sono là che si fanno una
cultura rivoluzionaria a scopa, briscola, ramino, treset-
te, alle bocce, boccette e fiaschi de vin! altro che balle.

STALINISTA   Eh lo so, lo so... è roba che ti cascano le braccia: buttar via tutto cosí... che sarebbe come un viet-
cong che butta via le pallottole del fucile perché gli pe-
sano nelle giberne! (*Il ragazzo continua in sottofondo a
strimpellare*). Ecco... tu parli, parli, e quello si impara
le canzonette... ha capito tutto, lui!

RAGAZZO   Macché canzonette... è la ballata di Michele lu
Lanzone. Guarda qua: c'è musica e tutto. È bellissima!

QUARTO OPERAIO   E chi è 'sto Lanzone Michele?

RAGAZZO   Stai a sentire... comincia con la madre di Michele che è diventata matta... ed è lei che canta.

STALINISTA   Ho capito... ed ora a voi cari telespettatori
un breve intermezzo musicale con il popolare cantante
popolare Giorgio Bazotti detto «resega».

PRIMA OPERAIA   Orco! Ma sei proprio una raccola... un
bastian contrario che fa schifo... che gusto ci trovi a
smontare la gente? Stai buono una benedetta volta!
Dài... vai avanti tu e non dargli retta.

RAGAZZO (*canta quasi sommesso, con pudore*)
      Rosa la pazza la nanna faceva
      a nu pupazzo la ninna cantava
      ninna oh ninna oh

Viene avanti una donna senza età. I capelli dritti sul capo... si diverte a farsi treccioline all'altezza delle tempie, sulla fronte. Si siede tenendo in grembo un pupazzo di stracci «una pigotta» grande come un bambino di cinque anni. Ogni tanto finge di pettinarlo e lo ninna. Il ragazzo per qualche verso canta all'unisono con la donna.
Tutti gli attori scompaiono. Luce piena.

RAGAZZO
        Michele lu Lanzone fatti furbo
        lascia che corra l'acqua dove deve
        non t'impicciare tu di 'sto disturbo
        se per la valle l'acqua non si vede
        il contadino già s'è rassegnato
        tu statti bono o sei già sotterrato.
MADRE (*di seguito, facendo saltellare il pupazzo sulle ginocchia*)   Ti piace 'sta canzoncina? Bella eh! È per tuo padre che l'hanno inventata... tutta per lui.
        Era importante tuo padre... accidenti se lo era! Quando passava lui si toglievano tutti il cappello i contadini... mica per soggezione... no, per rispetto, per considerazione... Perché era il piú bravo, il piú coraggioso sindacalista di tutta la vallata. (*Cambia tono alzandosi in piedi all'unisono con il chitarrista*)
        «Michele statti in salute
        e mantieniti vivo».

Da questo momento, la Madre, raccontando la sua storia, reciterà i vari personaggi, cambiando toni e atteggiamenti – sempre epica – mai naturalista.

MADRE (*sola*)   Lascia correre Michele... hanno già ammazzato piú di settanta sindacalisti prima di te... tutti sotto terra sono finiti, perché si davano troppo da fare, Michele... si mettevano troppo in vista coi contadini! (*Tono autoritario*) No, i tempi sono cambiati... adesso la mafia deve star buona, che c'è la commissione apposita che li tiene sotto torchio!
        Avete visto... già li abbiamo costretti a mollarci le terre del latifondo! (*Altro tono*) Già, ma che ce ne facciamo senza l'acqua... manco i cocomeri ci resistono... brucia tutto! Se ci distribuivano il deserto della Libia era lo

stesso! (*Altro tono*) L'acqua ci sarà! basta che si faccia
la diga... il progetto è già stato approvato. La regione ha
già ordinato lo stanziamento... è questione di qualche
mese: ora vado a Palermo... Ci vado con tutti i sindaci
della valle... se occorre verrete anche voi con le vostre
donne e ci faremo sentire!

RAGAZZO (*canta come facesse parte della ballata*)   Michele
lu sindacalista!!
    Michele lu Lanzone
    ci stai facendo fare lu ballu del caprone

MADRE   Facciamo, faremo, è già fatto!
Quanti anni sono che si aspetta!? Manco una pietra
han messo per 'sta diga.
Facciamo, faremo, è già fatto! Ci pare la storia di Mosè:
abbiate pazienza... pazienza!
E intanto noi si deve andare a fare il lavoro a giornata
fino alla piana dei greci... sotto i proprietari... e anche le
nostre donne... che la nostra terra ci serve solo per sep-
pellirci i morti... E i figli nostri ci tocca mandarli alla
miniera del sale e allo zolfo... che ci diventano rachitici e
gobbi... (*Cambiando tono*) Michele, qualcuno mette in
giro la voce che ti hanno mandato qui i padroni... Sí, che
sei pagato da loro... per tenerci tranquilli... con la speranza... le promesse... (*Venendo in proscenio furente.
Cambia tono*) Chi dice questo? Fuori! me lo deve venire a dire in faccia! In faccia! Sennò è un cornuto bastardo, figlio di cornuti! (*Cambia tono di colpo*) Non te la
prendere Michele... lascia correre, 'sto mestiere non è
per te... per fare il sindacalista bisogna esserci nati... è
un mestiere difficile... bisogna saperci fare... esserci na-
vigati... (*All'unisono con il ragazzo*) Il governo ha distribuito tre sacchi di farina per ogni famiglia... siamo sotto
le elezioni... per un po' staranno quieti... (*Scatto di voce*) No! È proprio adesso che dobbiamo muoverci! Dobbiamo andare a pestare i pugni, adesso! (*Implorante*)
Michele, lascia correre... Michele, ti vuoi rovinare... (*Riprende con tono esasperato*) Non capite che la diga sono i padroni a non volervela dare? Sono loro che bloccano tutto! Perché con 'sta diga tutta la vallata diventer-
rebbe fertilissima... Potremmo adoperare l'acqua anche
per lavarci i piedi... e potremmo far fontane come in
piazza a Palermo. Ma allora vi trovereste a coltivare
tranquilli tutti quanti le vostre terre, che vi rendono, a

vivere del vostro! E a 'sto punto, dove li trovano loro...
i padroni, i braccianti da pagare una miseria come han
fatto fino adesso? E alla miniera di zolfo e a quella del
sale chi ci andrebbe piú a crepare con le piaghe dappertutto come lebbrosi? La chiudono! Ecco perché 'sta diga
non ve la vogliono dare... a costo di far saltare in aria
tutta la Sicilia... ad ogni costo!! Perché voi dovete restare straccioni morti di fame! (*Cambia tono di colpo*) Michele statti zitto... non ti esporre... (*Altro tono*) No, la
Sicilia saremo noi a farla saltare... Noi! Piantiamola di
essere degli spaventati... Siamo capaci di ammazzare per
il disonore... ma non è disonore essere dei pezzenti, degli sfruttati? Andiamo tutti a Palermo... andiamo a pren-
derli per il collo 'sti padreterni bastardi.

RAGAZZO (*canta*)
    Palermu,
    Palermu,
    Jemmu, jemmu...

MADRE (*dolcissima e orgogliosa*) Dovevi vederlo tuo padre,
    Cenzino, in testa a tutti scalmanato che pareva Rinaldo
    con le due spade! E tutti i contadini sui loro muli, sui
    ciucci, coi loro cartelli, che gridavano, scendevano verso
    Palermo che sembravano la lava del vulcano...

RAGAZZO (*canta*)
    Palermu, Palermu,
    Jemmu, jemmu...

MADRE   Ma non ce l'hanno fatta... è arrivata la polizia con
    le camionette. Dalle ville, i padroni, guardavano con i
    cannocchiali... li hanno picchiati con i calci dei moschet-
    ti... erano piú di mille. Tuo padre con un braccio rotto
    l'hanno portato in prigione... un anno gli hanno dato.
    Michele, chi te lo fa fare... Michele lascia correre... Tu
    ti butti troppo... e a che serve? I contadini, da sempre
    stanno sotto padrone... ci si sono rassegnati... non star-
    gli a montare la testa... che poi lo vedi, te la fanno pa-
    gare a te, i padroni!

La Madre è rannicchiata sul fondo del palcoscenico. Entrano due infermiere. Portano un grande cesto, pieno
di lenzuola. Ne spalancano uno, e lo piegano.

RAGAZZO e MADRE (*in calando*)
    Michele lu Lanzone fatti furbo

lascia che corra l'acqua dove deve
non t'impicciare tu di sto disturbo...

PRIMA INFERMIERA   Ma che, mettiamo via i lenzuoli bagnati?

SECONDA INFERMIERA   E chi li mette via? Servono per la strozzina.

PRIMA INFERMIERA   La strozzina? Cos'è?

SECONDA INFERMIERA   Ma da dove vieni, tu? Possibile che al manicomio di Messina non la adoperiate?

PRIMA INFERMIERA   Ehi! Non sarà mica quel sistema di avvolgerci i matti come salami, quando hanno la crisi... cosí che restano come soffocati?

SECONDA INFERMIERA   Certo, attraverso il lenzuolo bagnato non passa l'aria e trach; è il sistema piú spiccio per farli ritornare subito tranquilli...

PRIMA INFERMIERA   Chiamali tranquilli: svengono! Da noi, laggiú è proibito...

SECONDA INFERMIERA   Anche da noi... ma, insomma, si chiude un occhio... (*Si sente un grido di donna proveniente da fuori scena*). Eccone una che è partita... vieni che ti metto subito in allenamento.

Le due infermiere escono correndo portandosi appresso cesto e lenzuola.

MADRE   Sicuro che è uscito di prigione il tuo papà... Ma mica s'è rassegnato 'sto testardo... Macché, adesso stava tutto il giorno a studiare le carte al catasto. E una sera arriva a casa che cantava e gridava felice: «Guardate ho trovato una mappa antica, di chissà quanti anni... di prima dei borboni... forse del tempo degli arabi. Qui, guardate, c'è segnato un fontanile... in cima alla nostra piana, sotto il Ronco dello Zoppo dove adesso è sotterrato da una frana... Forse è una vena grande... Forse cè ancora... basta sgomberare... liberare il foro». (*Cambia tono*) Lascia correre Michele... non t'illudere... non t'immischiare! Se nessuno l'ha riscoperta quella vena d'acqua, ci sarà pure una ragione... Lascia perdere Michele. (*Altro tono*) Due giorni dopo era domenica e c'erano tutti i contadini con le zappe e le vanghe, e anche quelli della miniera, e le donne che trasportavano terra con i cesti sul capo e i vecchi. Anzi, c'erano due vecchi che

suonavano la fisarmonica e la chitarra in continuazione
e noi si lavorava quasi ballando...

RAGAZZO e MADRE (*cantano*)
Verrà lu tempu de li lampuni
tutte le vocche rosse mi vo' baciare...

MADRE   Non era ancora mezzogiorno e ci fu un urlo: C'e-
ra!... Il foro c'era! Era otturato con dei mattoni crudi,
proprio di quelli del sistema antico... Avessi visto Cenzino come si buttarono tutti quanti a scavare... uno dietro l'altro a turno, che il buco era stretto e solo un uomo per volta ci poteva stare.
Vai vai!
Si cantava intanto che si faceva il passamano coi mattoni.

RAGAZZO (*quasi cantando a squarciagola*)
Vai vai! Buttami un bacio e vai
verrà lu tempu de li lampuni
tutte le bocche rosse mi vo' rubare

MADRE   L'acqua! l'acqua esce – esce... (*Altro tono*) Avessi
visto, Cenzino, un getto incredibile... come trenta fontane. E tutti, uomini e donne, come impazziti sotto a
prenderci la doccia... fradici a saltare, a ridere: «L'acqua, l'acqua! Ah che bella cosa l'acqua!»

RAGAZZO
Verrà lu tempu de li lampuni...
tutte le vocche rosse mi vo' baciare!

MADRE   Ubriachi d'acqua eravamo: (*altro tono, urlato*)
«Non c'importa più la diga adesso! Se la tengano pure.
Questa vena ci basta per tutta la valle... Per tutte le col-
tivazioni, per i campi... Non ci brucerà più il frumen-
to... e chi andrà più in miniera adesso? Se per noi da
oggi possono anche chiudere, quella trappola da topi!
Aha aha!» (*Riprende per un attimo sottofondo il canto
dei lamponi scemando in malinconico*).
Ma il giorno appresso c'erano delle donne che piangevano per la strada. «Il fontanile non butta più acqua...
la vena s'è già asciugata». Andarono correndo i contadini a vedere. «No qualcuno ha otturato il buco». Sca-
varono... tirarono fuori qualcosa che otturava... era Michele... il padre tuo: l'avevano ammazzato e ce l'avevano ficcato dentro come tappo. (*Disperata*) Michele, statti accorto Michele. Chi te lo fa fare. I contadini già si sono rassegnati... da sempre sono rassegnati. (*Gridando*)

Giustizia!! Sí, faranno giustizia! Sí, c'è per dio, la giustizia. Li hanno presi... li hanno ammanettati quelli che me
l'hanno ammazzato... li hanno processati... due volte! E
due volte li hanno lasciati uscire tutti! E quelli che hanno testimoniato, che sapevano... anche loro li hanno trovati morti... senza la lingua... (*Altro tono*) Ti devi ras-
segnare Michele... noi dobbiamo avere pazienza... pazienza! Pazienza finché non scenderà la lava, la lava del
vulcano, rossa (*con rabbia terribile*) a bruciare tutto: i
padroni, chi li difende, chi li protegge... tutto, tutto bisogna bruciare... bisogna bruciare... La lava... ecco scende... è rossa! Brucia... Scappate... no, non potete... Porci, massa di porci... chiamate l'ordine che vi protegga,
chiamate i giudici che vi difendano, porci... tutti bruce-
rete...! Michele, abbiamo vinto Michele... Michele...

Entrano correndo le due infermiere dispiegando il lenzuolo e coprono la madre.

SECONDA INFERMIERA   Forza, qua ce n'è un'altra... dài
butta! Gira... ecco: torci, torci e gira. È in trappola.
MADRE (*continua ad urlare ad agitare le braccia... sempre
piú lentamente la voce si fa sempre piú scura e tenue
fino a cessare*)   Non c'è piú speranza... ti devi rassegna-
re Michele... l'acqua... è una fontana... porci... brucere-
te... porci...!
SECONDA INFERMIERA   Eccola... ci siamo...
PRIMA INFERMIERA   Attenta che non soffochi del tutto...

La donna cede lentamente e si accascia, poi di schianto
cade a terra.

SECONDA INFERMIERA   Ecco fatto.

Spalancano il lenzuolo e la lasciano inerme com'è. Ritirano il lenzuolo e lo stendono per ripiegarlo: diventa
per un attimo un sipario. La madre esce di scena senza
farsi vedere dal pubblico.

RAGAZZO CON CHITARRA
      Michele lu Lanzone fatti furbo
      lascia correre l'acqua dove deve

Un attimo di silenzio...

OPERAIO (*con un sospiro*)   Che roba... mi fa venire voglia di... ma possibile che gli permettono ancora delle porcherie bastarde di 'sta maniera?

OPERAIO   Eh beh lí è la Sicilia che...

ALTRO OPERAIO   Già, perché da noialtri lo fanno lo stesso ma con un altro stile... senza far scena... roba coi guanti... Di', me lo posso prendere in prestito 'sto libro della ballata?

STALINISTA   In prestito...? Te lo tieni, no? tanto qui è tutta roba che finisce in muffa... o fra qualche anno al macero... non fate complimenti, chi vuole portarsi a casa qualche chilo di carta stampata s'accomodi!

Si ode uno sparo. Un personaggio si affloscia lasciando cadere una pistola.

PRIMA OPERAIA (*che sta leggendo un libro*)   Ma tu guarda, s'è ammazzato! Chi l'avrebbe mai detto?

PRIMO OPERAIO   Ma chi si è ammazzato?

PRIMA OPERAIA   Majakovskij, questo qui... Io mica lo sapevo che si fosse suicidato.

STALINISTA   Majakovskij? Ma chi è 'sto Majakovskij?

SECONDA OPERAIA   Oh la miseria, che talpa! È il piú grande poeta russo della Rivoluzione, uno che scriveva per il teatro, amico di Lenin...

STALINISTA   E di Stalin, era amico?

SECONDA OPERAIA   Oh altroché! Stalin dice addirittura, ascolta: «Majakovskij è e rimane il migliore, il piú grande poeta della nostra epoca sovietica!»

STALINISTA   Ah sí, e perché allora si è ammazzato?

SECONDA OPERAIA   Ma, qui dice soltanto: «Suicidatosi per ragioni oscure, nel 1930... Amareggiato per dissidi burocratici e forse a causa di delusioni amorose...»

PRIMA OPERAIA   Ah, c'è roba d'amore! Leggi un po' che m'interessa a me la delusione amorosa.

Entrano due uomini vestiti in scuro evidentemente della polizia.

PRIMO POLIZIOTTO   Permesso, permesso, fate largo...

Un operaio fa per spostare una sedia, un altro sta per raccattare la pistola.

SECONDO POLIZIOTTO   No, non toccate nulla, per favore! Dobbiamo esaminare... (*Rivolgendosi ai presenti*) Chi di voi ha sentito lo sparo?

PRIMA OPERAIA   Io.

SECONDA OPERAIA   Anch'io l'ho sentito.

STALINISTA   Beh, lo sparo l'abbiamo sentito tutti.

PRIMO POLIZIOTTO   Bene... (*Scrive su un notes*). E l'assassino l'avete visto uscire? Era un uomo? Una donna? Erano piú di uno?

STALINISTA   Ma noi non abbiamo visto niente.

SECONDO POLIZIOTTO   Già, la solita omertà.

SECONDA OPERAIA   Eravamo qui con quello lí, che prima faceva il Gramsci, che parlava cosí bene...

PRIMO POLIZIOTTO   Chi è questo Gramsci? È amico del morto? Conoscente? Di che parlava? Di politica? In favore o contro?

SECONDA OPERAIA   Beh, dipende... Sa se si guarda prima di Livorno [1]... beh anche dopo, non è mai stato per il dialogo, ecco!

SECONDO POLIZIOTTO   Era iscritto al partito?

STALINISTA   Sí, sí, iscritto oh!

SECONDO POLIZIOTTO   Va bene, adesso ditemi chi l'ha ammazzato.

PRIMA OPERAIA   Ma se si è suicidato!

SECONDO POLIZIOTTO   Come potete asserire che si è suicidato? Eravate presenti, allora?!

SECONDA OPERAIA   No, ma il libro qua, dice che...

PRIMO POLIZIOTTO (*prende fotografie, impronte, fa rilievi*) Non c'interessano i libri, ma solo i fatti! Le risultanze! le perizie! i referti! i verbali!

SECONDO POLIZIOTTO   Largo, largo... Il responsabile culturale.

Il Responsabile culturale entra asciugandosi il viso con un enorme fazzoletto già listato a lutto.

RESPONSABILE CULTURALE   È tremendo, è incredibile, povero Vladimir... ma come può essere successo? (*Ri-*

---

[1] 1921: Congresso a Livorno del Partito socialista durante il quale avvenne la scissione della corrente comunista.

volto al poliziotto) Mi raccomando, le sue carte, gli ultimi scritti, gli appunti... Voglio fare una pubblicazione. Se lo merita... Negli ultimi tempi l'avevamo un po' trascurato, povero Vladimir... Ha lasciato qualche missiva?

SECONDO POLIZIOTTO   Qui c'è un foglio che dice: «A Leningrado, in questi giorni, stanno recitando le esequie funebri di Vladimir Majakovskij. Sono le ultime repliche del *Bagno*. Poi, chiuso, mi toglieranno per sempre dai cartelloni... Una prece». È di due mesi fa.

RESPONSABILE CULTURALE   Stravaganze di artista! Date qua. (*Afferra il foglio e fa per stracciarlo*).

SECONDO POLIZIOTTO (*lo blocca e riprende il foglio*)   No, mi spiace, ma devo consegnare tutto quanto all'ispettore centrale. È un ordine.

RESPONSABILE CULTURALE   È un ordine? Come non detto.

Fuori scena si sente gridare una voce di donna.

DONNA   Lasciatemi passare, vi prego!

RESPONSABILE CULTURALE   Questa è la voce della sua amica, la riconosco... Le consiglio di non farla entrare... Già me la vedo... Le grida, le scenate... sa, è un'attrice drammatica...

PRIMO POLIZIOTTO   No, no, falla passare... Mi interessa.

Entra Anna Janaceskaja.

ANNA JANACESKAJA (*si butta verso il corpo di Majakovskij*) Vladimir, oh Vladimir!

SECONDO POLIZIOTTO   No, mi spiace ma non può toccarlo... almeno finché non saranno eseguite tutte le misurazioni, i prelievi per l'inchiesta, e le perizie piú o meno balistiche... lei mi capisce... A proposito, scusi se l'importuno, comprendo che debba essere sconvolta, ma io dovrei...

RESPONSABILE CULTURALE   Appunto, non sarebbe meglio rimandare...?

SECONDO POLIZIOTTO   No, mi spiace, compagno responsabile, nell'interesse di tutti sono costretto...

RESPONSABILE CULTURALE   Come non detto.

SECONDO POLIZIOTTO   In che relazioni era con il compagno Majakovskij?

ANNA   Ero la sua amica, la sua compagna, fino a qualche mese fa. Poi c'eravamo lasciati...

PRIMO POLIZIOTTO   Reciprocamente?

ANNA   Io gli volevo ancora bene, ma non riuscivo piú ad amarlo... Negli ultimi tempi era diventato intrattabile, irascibile... Non gli interessava piú niente, nemmeno del teatro, dal momento che, fra l'altro, non glielo lasciavano piú fare.

RESPONSABILE CULTURALE   No, non dica cosí... Anna Janaceskaja... era soltanto una stasi d'ordine amministrativo burocratico...

ANNA   Certo, soffriamo di mania di persecuzione... e voi andrete a raccontare che s'è ammazzato cosí, per conto suo, magari per una donna... per me o per una ballerina... non fa differenza... Già era un poeta e i poeti, si sa, sono come i nobili sfaccendati: attrici, ballerine, champagne e per finire: sparata nel cranio!

SECONDO POLIZIOTTO   No, fino a quando non sarà portata a termine la perizia, nessuno può asserire si tratti di suicidio, piuttosto che di disgrazia o peggio di assassinio.

ANNA   Ma certo che è un assassinio... E l'hanno ammazzato loro. (*Addita il Responsabile culturale*) Loro!

PRIMO POLIZIOTTO   Attenta compagna, che è una grave dichiarazione la sua.

RESPONSABILE CULTURALE   Vi avevo avvertiti che avrebbe fatto il suo numero... È inutile, è un'attrice!

ANNA (*s'inginocchia vicino al morto*)   Io vi ho visti farlo fuori giorno per giorno... l'avete ucciso chiudendogli i teatri in faccia uno per uno: a Mosca, a Leningrado, a Kiev. Gli avete tagliato le gambe... Non poteva piú scrivere. (*Fa per toccargli la testa*).

SECONDO POLIZIOTTO   Non lo tocchi!

ANNA   Nel Turkestan quando vogliono eliminare qualcuno lo chiudono in cima ad una torre molto alta con una finestra completamente aperta... dopo qualche mese il prigioniero si butta immancabilmente di sotto. E poi dicono che si è suicidato.

RESPONSABILE CULTURALE   Non c'è che dire la regge bene la sua parte... Bisogna lasciarla sfogare, poverina...

(*Rivolto al poliziotto che sta per scattare una foto*) No... a me niente foto... non ci tengo... Ecco, meglio cosí.

ANNA (*al Responsabile culturale*) V'avevo avvertito che con quella vostra censura ottusa lo ammazzavate...

RESPONSABILE CULTURALE Ma cara, se avessimo sospettato che era cosí giú di nervi... ammalato psichicamente... A dire il vero noi volevamo solo che si riposasse un po'...

ANNA Smettetela!... non era affatto ammalato e voi lo sapete meglio di me! Era soltanto deluso... schifato... si sentiva tradito... tradita la rivoluzione!

RESPONSABILE CULTURALE No, no, la verità è che era un gran testardo e anche un po' presuntuoso... gli aveva dato alla testa il fatto che Lenin e Stalin una volta avessero parlato bene di lui...

Il cadavere di Majakovskij viene portato fuori scena dagli operai. I due poliziotti seguono il «feretro». La scena diventa l'ufficio del Responsabile culturale. Sul lato destro una scrivania e una sedia portate a vista.
Entra la Segretaria.

SEGRETARIA Compagno Solacov!

RESPONSABILE CULTURALE Che c'è?

SEGRETARIA Deve dettarmi l'articolo compagno Solacov...

RESPONSABILE CULTURALE Ah sí... scrivi... per il giornale... «Oggi la sghignazzante maschera del teatro satirico sta piangendo! È calato il sipario sulla vita del piú grande, geniale poeta della nostra rivoluzione... (*Ad Anna*) sicuro si era montato la testa! (*Alla segretaria*) No, questo non scriverlo... Ti ricordi Anna, di quando sei venuta nel mio ufficio a lamentarti per l'intervento censorio... (*Il Responsabile culturale si siede davanti alla scrivania. Cambio di luce*).

ANNA Certo che mi ricordo!

RESPONSABILE CULTURALE Accidenti, mi sei subito saltata addosso ad aggredirmi.

ANNA (*come stesse rivivendo quell'episodio*) No! A giudicare un lavoro d'arte dev'essere il pubblico, non uno o piú burocrati. Solo il pubblico può decretarne la validità o meno...

RESPONSABILE CULTURALE Questo lo dici tu!

ANNA   No, questo lo dice Lenin... e dice anche che mettere nelle mani dei burocrati il teatro, la letteratura e compagnia bella, equivale a seppellire tutto quanto dopo averli strozzati.

RESPONSABILE CULTURALE   Ma questa è anarchia bella e buona!

SEGRETARIA   Esatto!

ANNA   Infatti è proprio quello che diceva Lenin: «Nell'arte è l'anarchia nel senso primordiale della parola che ci deve condurre».

RESPONSABILE CULTURALE   Perfetto! È proprio quello che dico sempre anch'io: l'anarchia! specie nella satira! Infatti sono sempre io il primo a ridere delle barzellette che circolano... anche di quelle sui burocrati...

SEGRETARIA   Sí, ride moltissimo...

ANNA   Già, ma la barzelletta non è pericolosa... è come un bicchiere di birra... passa e va... il teatro invece ti brucia e lascia il segno, vero?

RESPONSABILE CULTURALE   No, non è solo per questo... c'è anche il fatto che il tuo Vladimir esagera: guarda qua (*mostra un foglio*) cosa fa dire ad un attore che interpreta la parte di un dirigente culturale. Costui si rivolge al regista e gli dice: «so che nel vostro spettacolo appaiono dei responsabili di prima categoria, come me, ebbene mi raccomando, fateci belli, fateci forti!»

ANNA   Mi ricordo... è nella scena principale del *Bagno*. E c'è il coro dei burocrati che ripete «fateci belli, fateci forti».

RESPONSABILE CULTURALE   Sí, ma il fatto è che quella frase non è sua; questa frase l'ho detta io! L'ha copiata da me! È parte di un discorso che ho tenuto io, ai pittori dell'associazione ritrattisti di Mosca! E lui mi ha preso in giro...

ANNA   Siete voi che ci raccomandate sempre perché si prenda dalla realtà.

RESPONSABILE CULTURALE   Già, ma intanto l'altro giorno Màlenkov mi ha battuto una mano sulla spalla e m'ha detto: «Leoni Solacov, ti sei fatto proprio bello quest'oggi!» e tutti giú a sghignazzare. Hanno riso di me, capisci e tutto per colpa di Vladimir!

SEGRETARIA   Ma non è il solo: uno scherzo del genere l'ha fatto anche ad altri... a Fiodor Ominavief del Bolscioi... Anzefiref il critico musicale, perfino al ministro della cultura... dal momento che sono per il teatro classico, li ha messi tutti in scena vestiti da donna, in abito da sera con lo strascico, le pailettes, le collane e i ventagli di struzzo!

ANNA Sí, sí era bellissimo... mi ricordo che nelle sere in cui c'era un pubblico popolare non si riusciva nemmeno ad andare avanti, per come ridevano!

RESPONSABILE CULTURALE Già, ridevano... i sempliciotti! Ma mi dici tu dove va a finire il partito se si sfottono a sto modo i suoi dirigenti?

ANNA No, mi devi dire tu dove va il partito, se continuiamo a mantenere in piedi 'sta massa di bottegai in frak truccati da dirigenti!?

SEGRETARIA Anna Janaceskaja, sono testimone dell'offesa che avete arrecato al compagno Solacov.

RESPONSABILE CULTURALE No, no, ecco guarda... per dimostrarti che io sono un vero democratico non raccolgo per niente la tua sparata, anche se è un po' pesante...

ANNA Hai ragione... forse ho esagerato... scusami.

RESPONSABILE CULTURALE Ma è possibile che con tutto l'impegno di cui è dotato questo tuo benedetto uomo non sappia scrivere se non facendo della satira... andando a spulciare solo le cose che non funzionano...

SEGRETARIA Con tutte le opere positive, con tutte le conquiste del proletariato.

RESPONSABILE CULTURALE E se non vuole fare del trionfalismo... faccia delle cose di fantasia... tutta musica, danza... Andiamo, essere comunista non significa solo portare la tuta... come ha detto il direttore del Bolscioi: «Si può essere compagni anche portando lo smoking e il tutú». Perché non lo convinci Anna Janaceskaja?

ANNA Ma l'ho già convinto.

RESPONSABILE CULTURALE Davvero? Sta scrivendo qualcosa del genere?

ANNA Certo, l'ha già scritto: una cosa un po' futurista, se vogliamo...

RESPONSABILE CULTURALE Futurista?

ANNA Sí, oggi siamo nel 1930, ebbene, Vladimir s'è immaginato cosa succederà nei prossimi quarant'anni... naturalmente è tutta fantasia... in molti casi addirittura assurda... il tutto raccontato attraverso una danza sfrenata... l'ha scritta proprio per il Bolscioi!

RESPONSABILE CULTURALE   Una coreografia? magnifico!
com'è? com'è?

ANNA   Mi voglio provare a descrivertela... Ecco comincia
con una teoria di notabili capitalisti che giungono per
ossequiare il socialismo ormai trionfante...

RESPONSABILE CULTURALE   Spettacolo positivo, bene
bene!

ANNA   C'è anche un vescovo... un cardinale!

RESPONSABILE CULTURALE   Ottimi! fanno colore...

Entrano in scena tutti gli attori. Si dispongono in gruppo sul fondo del palcoscenico. Via via, sollecitati e gui-
dati da Anna, interpreteranno, danzando e mimando, i
vari personaggi della «Pantomima di quello che av-
verrà».

ANNA   Per favore voi compagni fatemi il proletariato vit-
torioso che danza leggero sul ritmo che vi darà il compagno marcatempo... un, due, tre... Per favore, tu fammi il compagno marcatempo... con questo bastone batti
i tempi della danza... un due tre... ci vorrebbe anche un
cronometro... te lo darò piú tardi... batti batti compagno... un, due, un, due, tre... e tu compagno operaio
danza leggero... ritmo! sulle punte! un due, tre... Non
sei capace di lavorare sulle punte? Male: alla catena di
montaggio della Fiat che verrà impiantata fra quaran-
t'anni... qui nell'Unione Sovietica, sarà obbligatoria la
danza sulle punte... un, due, tre... e anche la danza del
ventre... ed altre danze piú o meno esotiche... un, due,
tre... Bisognerà lavorare con grazia, con leggerezza per
superare senza fatica il sistema di sfruttamento che è in-
sito in quelle catene costruite dagli sporchi capitalisti!
un, due, tre... catena dove gli operai impazziscono, si
ammalano alle ossa... al sistema respiratorio... un, due,
tre... ma noi tradurremo in gioia di vivere quelle macchine di morte! Ma che fai compagno operaio... ti rifiu-
ti? Non hai fiducia... non credi nella possibilità di tra-
sformare la tecnica capitalistica di sfruttamento dell'uomo in tecnica al servizio dell'uomo? Danza e abbi fede
compagno... un due tre... e tu batti il ritmo del cottimo... compagno marcatempo... un due tre... un po' piú
in fretta, altrimenti le automobili che costruiamo qui ci
vengono a costare tre volte di piú che se le comprassi-

mo direttamente in Occidente... un, due tre... e non c'è
piú convenienza. C'è una legge di mercato anche per il
socialismo, andiamo! un, due, tre... ritmo... ritmo tempo... un due tre, un due tre quattro... Torniamo all'os-
sequio... chi di voi compagni mi fa il cardinale? Grazie
compagno! Tu compagno, fammi il compagno sindaco... Ecco il compagno cardinale che s'avanza accompa-
gnato dal sindaco di una città ad amministrazione interamente di sinistra [1]... un, due, tre... Tenga la mano del
cardinale. Con piú leggerezza... un due tre... faccia una
lieve riverenza andandogli incontro... gli baci la mano
santa... un, due tre... No, no, piú eleganza, andiamo!
Non ha mai ossequiato un cardinale offrendogli che so:
la cittadinanza onoraria... in ringraziamento di tutte le
persecuzioni e le campagne anticomuniste organizzate
con sacro furore da quella Santa Eminenza per anni e
anni contro il movimento operaio? Un, due, tre... No?
E già non può succedere... sarebbe assurdo... Beh, su...
si sforzi... conduca il cardinale ad abbracciare l'operaio...
un, due, tre... Ahimè... l'operaio per la sua indole anti-
clericale si scosta... un due tre... non vuole baciare la
mano al compagno cardinale... si schiva... un due tre... il
cardinale rincorre umilissimo il proletario fino in Perú! [2]
Non riesce ad afferrarlo poi s'arresta... soffre... un due
tre... piange fra le braccia del sindaco... valzer languido
un due tre!
Ecco il crudele imperialista... chi fa l'imperialista Usa?
Bravo compagno! Accomodati... qui c'è un contadino di
un certo paese Vietnam... roba di fantasia... L'americano lo prende a calci!... un due tre... Il proletario getta
un bastone al contadino... il contadino mette in difficoltà l'americano! un due tre... lo picchia di santa ragione!
un due tre!

RESPONSABILE CULTURALE   Oeu questa poi! è di un assurdo!

ANNA   Certo si sa è roba di fantasia... Il cardinale che ora
danza col programmatore sovietico... un due tre... si va
a scontrare con l'americano che indietreggia... un!
L'americano e il programmatore delle Repubbliche So-
vietiche faccia a faccia! «Pace pace» grida il cardinale

---

[1] Si allude al cardinale Lercaro e al sindaco Fanti di Bologna.
[2] Si allude al viaggio di Paolo VI in Perú.

santissimo! Dialogo... e coesistenza pacifica! un due
tre... e i due ballano felici!... un due tre... L'americano
passa vicino al contadino Viet... e lo colpisce con un
calcio nel sedere un! Il viet risponde... due tre... nel taf-
feruglio viene colpita anche la repubblica sovietica:
... un due... i due si staccano... il tecnico sovietico rifiu-
ta di danzare con quel prepotentaccio... il prepotentaccio va ad invitare la Cecoslovacchia... ecco vai! danza
anche tu col capitale... un due tre... ma ecco che arriva il
programmatore... schiaffeggia la leggerotta Cecoslovacchia... solo lui può... un due tre... ballare con lo sporco
capitale... perché è navigato! oh tu guarda! anche la
Romania... quella sfrontata, fa la civetta, l'ha invitato a
casa; fanno all'amore un due tre... ah come vorrebbe
sculacciarla, ma non si può! ha amicizie troppo altolocate... Che rabbia... che rabbia! Scusatelo, va un attimo a litigare coi cinesi e torna subito... un due tre... Intanto il proletariato lavora e produce – produce! produce! Stop! Il proletariato s'è scocciato e prende a calci
tutti quanti!

RESPONSABILE CULTURALE   Scusami... ma sono letteralmente sconcertato! Non mi vergogno a dirlo; non ci ho
capito quasi niente... e quel poco che ho capito m'è sem-
brato d'un pessimismo... cosí gratuito!

ANNA   Non direi tanto gratuito...

RESPONSABILE CULTURALE   Sí, sí... ad ogni modo se credi che al Bolscioi ti prendano un papocchio simile... Son
giusto elucubrazioni da intellettuali, ma per il pubblico
vero, quello che va a teatro...

ANNA   Stai tranquillo che gli operai lo capirebbero e come...

RESPONSABILE CULTURALE   Ma fammi il favore... a parte
che gli operai ci vanno ben poco a teatro lo sai...

ANNA   Per forza, fin quando insisterete a farli accomodare fra cariatidi piú o meno viventi, dappertutto... in platea e in palcoscenico... Ma provate ad andargli a parlare
di fatti che li riguardano da vicino, di loro, della loro fatica, della loro storia e a casa loro, in fabbrica come
abbiamo fatto noi... e poi vedrete se non vengono a
teatro!

RESPONSABILE CULTURALE   Perché tu e Majakovskij siete andati nelle fabbriche?... e quando?

ANNA   Quando tu e il tuo Ministero ci avevate chiuso sul

muso le porte di tutti i teatri ufficiali... perché il pubblico non capiva! Abbiamo preso su armi e bagagli, trenta attori, dieci tecnici e siamo andati dai sindacati...:
«siamo qui ci volete?» E cosí ci hanno fatto recitare in
piú di cento fabbriche davanti a migliaia di operai e le
loro famiglie ogni volta. E dovevi essere lí a vedere, a
sentire che successo... un trionfo. E come afferravano
tutto... anche le cose piú sottili. E se c'era qualcosa che
non gli piaceva te lo dicevano subito in faccia... senza
neanche aspettare che si aprisse il dibattito alla fine. E a
Leningrado all'officina Putilov, davanti a una platea che
faceva paura... alla fine applausi che non ti dico... e una
voce fortissima da baritono che gridava: «Compagno
Majakovskij leggici quella tua poesia sulla morte di Lenin...» «sí, la morte di Lenin» gridavano tutti! Majakovskij è uscito sul proscenio e ha cominciato, quasi sottovoce:

Entra l'attore che si era precedentemente suicidato:
Majakovskij.

MAJAKOVSKIJ
    Dai miei occhi sono scese due lacrime di gelo
    ed ora sono ferme sulle mie guance
ANNA   Di colpo s'è fatto un gran silenzio... c'erano dei
    bambini in braccio alle donne... neanche loro fiatavano
    piú. Quando è arrivato al verso:
MAJAKOVSKIJ
    Noi seppelliremo quest'oggi l'uomo piú terreno
    che abbia mai camminato sulla terra
    egli è del tutto simile a noi
    a noi del tutto eguale...
ANNA   Alcuni operai si sono alzati in piedi. Vladimir an-
    dò su con la voce:
MAJAKOVSKIJ
    Oggi è morto il piú umano degli uomini
    piange la Russia e il popolo degli stracci
    lacrime di neve scendono dalle palpebre
    rosse come bandiere
ANNA   Lentamente, senza far rumore, uno dietro l'altro,
    tutti si alzavano in piedi, anche le donne coi bambini in
    braccio addormentati. Vladimir continuava a crescere di
    tono: quasi gridando cominciò la quarta strofa:

MAJAKOVSKIJ
E il capitalismo sopravvive ancora!
ora per lui lavora lo schiavo nuovo: l'operaio
sfruttato, mangiato! Anche dormendo
s'è fatto ancor piú grasso e vispo
s'è sdraiato: spaparanzato sul cammino della storia
facendo del mondo il suo letto, la sua mangiatoia.
Non è possibile evitarlo
non è possibile girargli intorno
l'unica via d'uscita è quella di passargli nel mezzo
in pieno. Di farlo saltare!

ANNA   In platea vi fu un urlo... un boato... Vladimir al-
lungò lo sguardo... e si rese conto che erano tutti quanti
in piedi... Piú di tremila... gli venne il groppo in gola...
e non riusciva ad andare avanti... ci fu un lungo silenzio, poi un attore continuò al suo posto...

Entra un attore che si mette a fianco di Majakovskij:

ATTORE
Ah, lo so, il poeta lirico farà una smorfia di disgusto
e il critico oltre la smorfia avrà un urto di vomito
«ma dov'è l'anima» diranno «dov'è la poesia?»
«Questa è solo retorica, è comizio».

Entra un altro attore che prosegue.

ATTORE
Lo so, certe parole come «comunismo» «lotta operaia»
non sono parole eleganti...
ha suono piú dolce la parola «usignolo»...

ANNA (*continua la poesia*)
Certo un giorno verrò anch'io
a parlarvi di questo e di quello
ma oggi non è tempo di canti d'amore
oggi tutta la mia forza, tutte le mie canzoni
le do a te
classe del proletariato in lotta!

A questo punto ci fu un tal boato che quasi ci spaven-
tammo... Stavamo per riprendere... ma fummo prece-
duti da un operaio che con voce sparata cominciò tutto
solo il decimo verso:

OPERAIO (*dalla platea*)

Ho incontrato un operaio analfabeta
non sapeva leggere manco una parola
ma aveva sentito parlare Lenin con la sua voce chiara
ed egli sapeva tutto...

ANNA   Di colpo si misero a recitare tutti quanti!... un coro
da far venire i brividi.

Dalla platea altri attori recitano il poema.
Lentamente tutti salgono in palcoscenico. Si dispongono in proscenio e via via reciteranno i vari versi del
poema.

CORO

Il partito è una mano con milioni di dita
strette in un solo terribile pugno.
Il partito è nostro, è il nostro potere
il partito è l'unica cosa che non tradisce
il partito e Lenin sono fratelli gemelli
chi vale di piú di fronte alla storia?
Lenin o il partito?
Noi diciamo Lenin e intendiamo il partito.
Avanti compagni
non si cade se si cammina spalla a spalla.

VOCE SOLA

Il compagno Lenin è morto!

CORO

È morto: quella voce che ha colpito l'operaio al
tornio
come una fucilata
come un bicchiere rovesciato di colpo sulla macchina
sono state le sue lacrime.

ALTRO GRUPPO DI VOCI

E i contadini che cento volte avevano fissato la morte negli occhi
si vergognavano di piangere davanti alle donne.
Ci sono stati uomini di pietra
uomini che a sangue si sono morsicate le labbra
come vecchi si sono fatti seri i bambini
come bambini piangevano i vecchi, senza ritegno.
Ecco, è Lenin... nella sua bara... guardate
sulle schiene ricurve per i singhiozzi
passa il piú umano degli uomini.

Il compagno Lenin è morto.
Avanti compagni: non si cade se si cammina spalla a
                                                    spalla.

VOCE SOLA
E il capitalismo sopravvive ancora!

CORO
Ora per lui lavora lo schiavo nuovo: l'operaio
sfruttato, mangiato! Anche dormendo
s'è fatto ancor piú grasso e vispo
s'è sdraiato, spaparanzato sul cammino della storia
facendo del mondo il suo letto, la sua mangiatoia.
Non è possibile evitarlo
non è possibile girargli intorno,
l'unica via d'uscita è quella di passargli nel mezzo
in pieno. Di farlo saltare!

Su queste ultime battute, gli operai ricostruiscono la
biblioteca in proscenio come era all'inizio dello spettacolo, e rimettono negli scaffali tutti i libri. Alcuni scaffali resteranno vuoti. Dentro questi spazi vuoti saranno vi-
sibili le teste degli attori. Per fare in modo che la scena
venga ricostruita velocemente, i libri saranno a blocchi,
ricostruiti in «espanso». Durante questa azione, verranno consumate le ultime battute, mentre lentamente scende la luce, viene cantata la canzone «Stai su, marciam».

OPERAIO   L'operaio conosce trecento parole, il padrone
mille...

TUTTI   ... per questo lui è il padrone!

OPERAIA   Un uomo senza cultura è come un sacco vuoto,
pieno di vento ti fa impressione; ma quando piove, e
spesso piove sulla rivoluzione, quel sacco te lo ritrovi
fradicio fra i piedi...

TUTTI   ... a farti inciampare!

OPERAIO   Il popolo ha una grande cultura; il potere borghese, aristocratico, la Chiesa gliela hanno in gran parte
distrutta, sotterrata...

TUTTI   ... ma è nostro dovere fargliela ritrovare.

OPERAIO   Ad un povero che ti chiede l'elemosina dai due
soldi per il pane...

TUTTI   ... e tre soldi perché si comperi un libro!

OPERAIO   Il nostro è un partito diretto da intellettuali.

Gli operai devono diventare gli intellettuali del nostro
partito.

CORO

Stai su, marciam
dài che all'inferno andiam
non abbiam niente noi da salvare
solo la pelle abbiam da giocare, forza! ecc. ecc.

Legami pure
che tanto io spacco tutto lo stesso

Il telaio

Prima esecuzione assoluta a Genova, 5 novembre 1969.

Elenco dei personaggi

Operai e operaie
La Madre
Il Padre
La Figlia
Il Mangiavespe
La Committente
Il Prete

Sul fondo un praticabile alto sessanta centimetri, lungo quanto il palcoscenico con due scalette ad ogni lato.

Un tavolo, un fornello, una pentola, un cucchiaio di legno (lungo), qualche piatto, due sedie, un turibolo.

Lo spettacolo incomincia col buio completo. Al salire lento della luce indovineremo tre donne operaie e sei uomini operai dislocati qua e là per il palcoscenico.
La luce rimarrà bassa per tutta questa prima scena. Gli attori saranno illuminati da un riflettore solo quando diranno le loro battute.

OPERAIO   La classe operaia sta prendendo coscienza.

OPERAIO   Ci sono zone però dove sono ancora indietro, c'è il terrorismo, hanno paura... Mi sono trovato da solo a scioperare... mi hanno licenziato... nessuno ha fatto una piega.

OPERAIO   Anche a me mi hanno licenziato... sono un attivista della CGIL, alla Snia. Tutta la fabbrica, piú di mille operai, hanno fatto sciopero per me! Era la prima volta che si scioperava dopo tre anni, e mica è stato il solito sciopero di solidarietà, no! sciopero continuato... finché i padroni non mi hanno riassunto.

OPERAIO   Noi abbiamo occupato la fabbrica, ci avevano licenziati tutti quanti, vogliono smantellarla, perché dicono che non rende piú. Nella zona del parmigiano, fra grosse e piccole, ci sono piú di venti fabbriche chiuse o condannate a una prossima chiusura: ottomila operai delle Cooperative della nostra provincia ci dànno un'ora del loro lavoro a testa ogni mese. Senza questo aiuto, saremmo già sull'asse dei formaggini, come si dice.

OPERAIO   Anche noi abbiamo occupato la fabbrica per quasi un mese... Alla fine il padrone ha ceduto, ci ha concesso un sacco di cose, compresa l'assemblea, però sul fatto di permettere ai sindacati di entrare in fabbrica no... non li vuole fra i piedi... Lí, abbiamo dovuto mollare noi.

OPERAIO   Alla nostra fabbrica il nostro padrone, dopo uno sciopero di venti giorni, ha calato le braghe. Noi volevamo soprattutto che si mettessero degli assorbitori termici per far calare l'umidità bollente che ci fa diventare bronchitici, con l'artrosi e i reumi messi d'una maniera che vai al gabinetto peggio di un cane che beve la birra... e poi dei turni alternati. Lui di contro ci ha offerto un aumento fino al 12 per cento come risarcimento danno fisico. C'era uno del sindacato bianco che ci ha detto di accettare, che era conveniente... Gli abbiamo menato. E cosí adesso da noi non c'è piú l'unità sindacale, che a noi cosí non ce ne frega!

OPERAIO   Noi nel nostro reparto siamo tutti sordi per il fracasso... e quando va giú la pressa, io me ne accorgo piú per il fatto che trema il pavimento che per il rumore... e pensare che da ragazzo suonavo il violino!

OPERAIO   È che dovrebbero mettere un accrocchio che assorbe il baccano. Ma costa. Il direttore, siccome noi ci siamo lamentati, ci ha sfottuti, ci ha detto: «E voi, fate l'orecchio da mercante, quando c'è il fracasso». C'erano lí degli impiegati, hanno riso molto.

OPERAIO   Gli impiegati hanno scioperato con noi. Tutti di loro spontanea volontà. Neanche uno è entrato in fabbrica... C'era un picchetto che faceva paura e l'altra volta ne avevamo picchiati due.

OPERAIA   Da noi c'è tanto di quel fumo che ogni tanto a qualcuno gli vengono le convulsioni... è un fumo tossico, che in certi momenti diventa come un gas asfissiante. Per questo c'è una gabbietta con dentro un canarino. L'hanno appesa nel mezzo del capannone. È un canarino che canta sempre contento... quando non canta piú vuol dire che è morto asfissiato. È il segnale d'allarme: pericolo mortale... e si scappa tutti fuori.

OPERAIA   È già il quarto canarino d'allarme che ci resta secco in due mesi. Ci sono tutti i filtri da cambiare... è venuta a saperlo la moglie dell'avvocato Bozzi che è la patronessa della protezione animali. Ha piantato in piedi un gibileri... ha denunciato il padrone, è andata dal Vescovo «Ma come, si asfissiano i canarini?!» E cosí adesso non abbiamo piú neanche il canarino d'allarme. Dobbiamo stare sempre con un occhio addosso alle ragazze giovani appena assunte, che quelle per fortuna non ci hanno ancora fatto il callo, e quando il gas va su di troppo, loro trolock tirano su anche l'anima, e noi via, si taglia la corda... con loro naturalmente. L'altro giorno non eravamo ancora entrate che una si è messa a vomitare... una ragazzina di sedici anni... via tutte... poi abbiamo scoperto che era incinta... ma siccome era in prova, l'hanno subito lasciata a casa. Tutta colpa dell'amore.

OPERAIA Alle tre e mezza tutti i giorni passa una ragazza della portineria che fa anche da infermiera con un vassoio con su delle pillole varie, per il mal di testa, per chi si sente troppo fiacca e vuole tirarsi su, perché una si sente un po' troppo nervosa e vuole un calmante distensivo... tutto gratis: offerto dalla ditta per il buon rendimento... Il fatto è che tante di noi ci hanno preso l'abitudine... le pastiglie se le prendono già al mattino, per conto loro, due o tre al giorno... sennò non rendono e c'è sempre paura di essere licenziate.

OPERAIA Quello che da noi ti fa impazzire è la monotonia dei gesti che ti tocca fare: tre, quattro movimenti sempre quelli, ripetuti per cento, duecento, mille, duemila fino a quattromila volte al giorno... Ogni tanto si vede qualcuna di noi, andando a casa, sul tram, che, proprio come in quel film di Charlot, fa delle mosse senza senso, come per un brivido, una scossa... e poi ci si guarda intorno... così, con l'imbarazzo che qualcuno ti abbia visto. Tutte hanno visto, ma tutte si fa finta di niente... perfino il tranviere... che anche lui sa.

OPERAIA Nella nostra zona non ci sono asili nido, con tutto che c'è una legge, ma il padrone se ne frega. I nostri bambini siamo costretti ad affidarli dove e come capita, così che oltre la fatica del lavoro siamo sempre con la testa sul pensiero dei nostri bambini. Una mia vicina di linea, che tra l'altro è della commissione interna, il suo bambino lo teneva chiuso in casa... proprio chiuso a chiave. Un giorno il bambino è scappato dalla finestra, del piano rialzato per andare a giocare e quasi andava a finire sotto una macchina, allora lei, poveraccia, è stata costretta a legarlo alla spalliera del letto con una lunga catena, in modo che potesse almeno girare per casa. Una signora per bene l'ha saputo e le ha fatto la denuncia per maltrattamenti e sevizie, perché teneva il figlio come in prigione. Il bello è che l'hanno pure arrestata. L'avrete letto, c'è stato anche sui giornali... sull'«Oggi», raccontato come un caso pietoso, per far venire qualche lacrima alle buone signore, che ci fa tanto bene al cuore tenerissimo.

OPERAIO Al mio paese il 70 per cento delle donne sono lavoranti a domicilio. Cioè gente che lavora a casa con le macchine che il padrone gli ha venduto a rate: telai, cucitrici ecc. ecc.

OPERAIA   Facciamo un sacco di lavori... maglierie, ricami, confezioni, camiceria, stiratura, calzoleria ecc. ecc.

OPERAIO   Ci sono anche parecchi uomini che lavorano a casa, perfino ai telai, ed anche dei bambini.

OPERAIO   In Italia i lavoranti a domicilio sono piú di un milione e mezzo, son fin piú dei metalmeccanici.

OPERAIA   La media è quindici, sedici ore al giorno di lavoro; non ci pagano i contributi di nessun genere, non abbiamo assistenza, non abbiamo pensione. Soltanto l'anno scorso a Concordia [1] i padroni hanno risparmiato piú di cinquanta milioni in contributi sociali. Il bello è che in certe zone i padroni e alcuni di quelli che vanno in giro a ritirare il lavoro finito sono iscritti o dirigenti di partiti di sinistra.

Escono tutti scende la luce.
Sul buio viene portato in scena un tavolo con sopra un fornello a gas, pentole, qualche piatto, un cucchiaio di legno e qualche posata. Si sente sfregare ritmicamente sul classico corno dentellato della samba. Contrappuntato da ticchettii metallici. Ogni tanto un cigolio come un lamento. Quindi uno stop di tre secondi e si riprende principiando con un trillo di campanello. Un occhio di bue illumina il «rumorista» che per tutta la scena con vari strumenti a percussione raganella, trich-trach, barattoli, commenterà i gesti degli attori, dando corpo agli oggetti e alle macchine che essi descriveranno mimicamente. Pian piano s'illumina tutta la scena, s'incomincia ad indovinare due persone che da principio sembrano eseguire una danza sul ritmo di samba. Sono il Padre e la Madre che lavorano all'unisono davanti a due immaginari telai in proscenio. Il proscenio è una delle pareti della casa dove sono sistemati gli immaginari telai. Nel centro palcoscenico una immaginaria finestra. Dopo un silenzio la Madre dice:

MADRE   Ma guarda che villano quello lí... (*Allude al personaggio che dovrebbe trovarsi nella casa di fronte, cioè in platea*).

PADRE   Perché villano?

[1] Paese in Emilia.

MADRE   Eh, ancora un po' ti viene addirittura a guardare in casa...

PADRE   Beh, mica lo fa apposta... sta lavorando anche lui poveraccio... e mica è sua la colpa se il suo telaio gli finisce proprio davanti alla finestra...

MADRE   Sí finisce... finisce un corno! ce l'ha portato lui davanti alla finestra, il telaio, per avere la scusa di poterci venire a spiare...

PADRE   Esagerata, spiare... semmai viene a curiosare...

MADRE   Rieccolo. Fai finta di niente che cerca di attaccar bottone.

PADRE   Ma no, vuol soltanto salutarci... Buon giorno, signor Luigi...

MADRE   Bravo, bravo, rispondigli pure... dàgli corda... che tra poco quello ci viene con la macchina in casa... anzi ce la porta nella camera da letto.

PADRE   Ma si può sapere che cosa ti ha fatto quel povero ragazzo per avercelo tanto in antipatia.

MADRE   Niente m'ha fatto: soltanto è che non posso soffrire i ficcanaso... questo poi mi fa diventare nevrastenica... alle sei del mattino quando facciamo andare su e giú questo maledetto telaio, lui è già lí che ti guarda, con quei suoi occhialoni da miope che pare un binocolo... e fosse uno che ti guarda tranquillo, appoggiato alla finestra... macché, fa capolino... capoccella, resta lí tre secondi e poi pluf... scompare, e dopo un po', cucu baucettete è lí ancora!

PADRE   Guarda, mi sbaglierò, ma da un po' di giorni sei andata giú di nervi che fa paura... porco cane, non sopporti piú neanche la tua ombra! Se quello ti dà tanto fastidio chiudiamo la finestra e non lo vedrai piú.

MADRE   Bravo! per colpa sua devo crepare soffocata io... Ma la chiuda lui la finestra... porca di una... ma non farmi dire degli spropositi va'...

PADRE   Ecco, vorrei vedere che adesso arrivi anche a bestemmiare.

MADRE   Perché, cos'è, mica starai diventando cattolico benpensante delle volte?

PADRE   No, ma è questione di forma... andiamo... poi non ho mai sentito dire che uno è piú comunista se tira piú moccoli... che anzi, ogni «madonna» che tira gliela mettono sulla tessera come un bollino del buon attivista.

MADRE   Eh no eh! Te l'ho già detto che sulle questioni del partito tu non vieni a sfottere...

PADRE   Ma chi sfotte... senti, è meglio che la pianti lí, prima che ti dobbiamo portare al neurodeliri. Vai, vai a farti un giretto, vai a trovare qualche tua amica... vai alla casa del popolo... fai un paio di giri a tombola, eh?

MADRE   Sí, e magari vado pure al cinema... e la macchina chi la fa andare? che se non marcia per almeno sedici ore siamo fregati.

PADRE   Beh sei fissata... non saranno quei venti minuti...

MADRE   Sicuro che sono quei venti minuti... Hai mai fatto il conto che cosa fanno venti minuti moltiplicati per trenta giorni? E quando lo paghiamo il milione e mezzo di cambiali che ci hanno picchiato sul collo per 'sti telai? È inutile, se non vogliamo che ce le portino via dobbiamo farle lavorare 'ste macchine... non si devono mai fermare, capito? mai!

PADRE   Ho capito, ho capito... perché, fino adesso che abbiamo fatto? Le abbiamo fatte lavorare da farle diventare roventi... manco la domenica le lasciamo tirare il fiato... tu non vai neanche a fare pipí quando ti scappa, che un giorno o l'altro sentiamo un gran botto ed è la vescica che ti è scoppiata...

MADRE   Ah ah che ridere... a proposito, che ore sono?

PADRE   Perché?

MADRE   Perché mi scappa.

PADRE   E allora cosa vuol dire... hai regolato i tuoi bisogni con il segnale orario e vuoi verificare se è in anticipo?

MADRE   Ma piantala... era solo per il fatto che se tua figlia arrivasse tra non molto, io aspetto... cosí intanto che lei prende il mio posto al telaio, io ci posso andare con un po' di fiato!

PADRE   Ah, perché invece se non c'è nessuno che prenda il tuo posto, tu non riesci a prender fiato?

MADRE   Tu scherzi, ma lo sai che se io sono di là e non sento di qua la macchina che si muove, non riesco a far niente! mi si blocca tutto!

PADRE   Ah sí? ... e perché non provi a lasciarti andare dentro di peso alla tazza e poi a tirare la catena... a 'sto punto è l'unica sai!

MADRE   Poi dice a me che sono pesante... certo a te non ti si può bloccare niente, che tanto tu sei un incosciente... cosa t'importa a te se oggi, quando arriva la committente, il lavoro non è pronto per la consegna... lui si fa una pipata e via...

PADRE   Beh, meglio essere incosciente che ossessionata come te... perdio, ci sono cinquemila famiglie come noi nella zona, che lavorano al telaio... e io vorrei vedere se fanno le storie e soprattutto la vita che facciamo noi!

MADRE   Vorresti vedere? ...e allora perché non provi a farti un giretto... guarda, vai qui, svoltato l'angolo... lí c'è una sposina con un bambino appena nato che per non perder tempo a ninnarlo, ha impiantato addirittura un aggeggio con dei bastoni e degli intracchen che dalla culla vanno al telaio, cosí che quando la macchina con la staggia va avanti e indietro, la culla si balansa a tempo: oh, oh, oh, oh. E qui c'è una famiglia, davanti alla chiesa, che hanno messo all'opera anche lo zio paralitico, piazzato su di una sedia a rotelle fatta apposta, con un motorino a corsa fissa... tre metri a sinistra, prt prt, dietro front, prt prtt, marcia indietro a destra prt prt... e via di nuovo a sinistra prt prt... e lui che lavora con una mano sola, quella buona, con una velocità da non crederci... va piú forte di tutti, si ferma giusto per fare il pieno di benzina, cambio dell'olio... e via che riparte a tutta birra! prt prt. L'avessimo noi uno zio paralitico!

PADRE   Beh, lui ha il vantaggio che non si fa venire le vene varicose come son venute a me a furia di stare in piedi.

MADRE   E che t'importa? Chi te le vede le tue gambotte? Che, t'è venuto forse il sogno infranto di fare la ballerina sculettona nel varietà del giovedí al supercinema?

PADRE   Come no, potrei fare anche la mossa... con sto panettoncione tipo famiglia da sei chili che mi son fatto dietro...

MADRE   Beh, adesso non farti venire il complesso: panettoncione... è un bauletto! (*Ride. Il marito ha un gesto di risentimento*). È questo movimento di avanti e indietro che ingrossa il muscolo... mica è grasso... basta toccare...

PADRE   Certo, infatti appena uno mi guarda lí col sorriso carogna, subito gli faccio toccare... faccio toccare a tutti io! ...Fanno la fila.

MADRE   Beh, se vuoi sapere succede anche a quelle che ballano la rumba e la conga e tutti quei balli esotici lí, che fanno lavorare molto sul tronco...

PADRE   Chiamalo tronco...

MADRE   Del resto anche a me s'è ingrossato, ma non ci faccio una malattia come ci fai tu! Se vai a vedere in Brasile, le donne che hanno piú successo sono quelle che hanno il sedere come il nostro...

PADRE   Come il nostro? ... beh questo mi tira molto su di morale... le prossime ferie le voglio proprio andare a fare in Brasile... guarda... olè...!

MADRE   Accidenti, non la tengo proprio piú...

PADRE   E cosa aspetti a mollare un momento questa macchina?

MADRE   Te l'ho detto che non posso... Accidenti a quella cretina, che di sicuro si sarà fermata in giro a fare la stupida... a chiacchierare... e io devo ancora mettere su l'acqua, e fare il ragú e poi la pipí che... oh mamma non la tengo piú!

PADRE   Ma come, neanche l'acqua c'è su? E a che ora mangiamo oggi?

MADRE   Sta tranquillo che non ti faccio crepare di fame... con tutto quello che hai mangiato stamattina... e poi si lamenta se ingrassa lui, il sederotto!

PADRE   E non chiamarmi sederotto... lo sai che mi fa andare in bestia... e intanto mi hai fatto andare giú due fili...

MADRE   E poi dice che sono io che ho i nervi, che dovrei andare al neurodeliri... dài, prendi il mio posto svelto che te li tiro su io i fili, pasticcione maledetto.

Si scambiano i posti ai telai.

PADRE   Capirai che disastro... a parte che ero capace anch'io di ritirarmeli su i miei fili da solo...

MADRE   Sí, ma ci impiegavi dieci minuti come minimo.

PADRE   E già, e dieci minuti sai, sarebbe stato il disastro!

MADRE   Ecco fatto... ti dispiace tornare alla tua macchina che io mi trovo meglio con quella...

PADRE   D'accordo... pronti per il cambio... via! (Si riscambiano i telai) ... Oplà! brava, non abbiamo perso neanche un secondo prezioso!

MADRE   Non fare il cretino, a farmi ridere... se no va a finire che la faccio qui!

PADRE   Dovremmo organizzarci come gli astronauti che vanno sulla luna... ho letto che quelli hanno una tuta

spaziale con tutto incorporato... vasi da notte pneuma-
tici...

MADRE   Quando l'hai letto?

PADRE   Giusto, non posso averlo letto... sono tre anni ormai che non leggo né un libro, né un giornale, grazie a
'sti due mostri che ci siamo messi in casa... L'avrò visto
alla televisione. Io non capisco perché continuiamo a pagare l'abbonamento a «l'Unità» e a «Vie Nuove», che
tanto non riusciamo a dargli neanche un'occhiata.

MADRE   Che cosa vuol dire? Se uno compera un giornale
mica è obbligatorio che deve pure leggerselo dopo... cioè
i giornali mica son fatti solo per leggerli.

PADRE   Ah no? ... e per che cosa allora? Per far su i pacchi? ... per non sporcare i pavimenti quando imbianchi
la casa?

MADRE   Ma non fare il cretino... voglio dire che quando
uno compera un giornale di sinistra come «l'Unità»...
c'è già l'importante che fa una scelta, un gesto politico,
capisci? ... è come dire: ecco io la penso cosí... ed è già
molto! ... che se invece compera «Il resto del Carlino» o
il «Corriere della Sera» in quel caso lí dà i soldi al padrone, e allora non glieli può regalare... deve sfruttarlo
il giornale... deve leggerlo tutto... consumarglielo fino al-
l'osso, fino negli annunci mortuari...! (*Si sente suonare
il campanello*) Chi è? ... entrate pure che è aperto...

FIGLIA (*dal di dentro*)   Sono io mamma... si era bloccata la
serratura... (*Entra sul lato destro percorrendo tutta la
passerella come fosse un corridoio antistante la stanza*).

MADRE   Oh brava, era ora... vieni a darmi il cambio un
momento...

FIGLIA   No, no, aspetta vado un salto a far pipí e torno...

MADRE   E no! Tu ti fermi e ci vai dopo!

FIGLIA   Ma mamma... non ce la faccio piú!

MADRE   E no! sono io che non ce la faccio piú... fermati
qui o ti tiro una scarpa!

FIGLIA   Tirami quel che vuoi... ma se ti dico che non ce
la faccio... (*Esce sulla destra*).

MADRE   Hai visto che carogna... E tu non dici niente?

PADRE   E che cosa devo dire?

MADRE   Figurati... tua figlia mi manca di rispetto, mi ruba
il posto al gabinetto... va a fare la pipí prima della sua
mamma... io, io, che le ho dato il latte... io che le ho
fatto fare pipí migliaia di volte... dappertutto, anche

addosso... una volta che ho bisogno che le parti s'inver-
tano, lei mi dice di no e tu non sai che cosa dire!

PADRE   Ma sei tu che l'hai educata cosí tua figlia... io non
riesco mai neanche a parlarci, che son sempre qui legato
a sta macchina come un cane alla catena!

MADRE   Fosse vero che sei un cane alla catena... che almeno di notte ti metteresti ad abbaiare quando tua figlia
torna che è l'alba... che un giorno o l'altro la vedremo
spuntare con il pancino bello tondo...

PADRE   Col pancino tondo? Quando è tornata all'alba?
Angela... vieni un po' qui...

MADRE   Zitto lí... cuccia Bobi... Com'è che ti scandalizzi
tanto all'idea di tua figlia col pancino tondo... andiamo...
che retrogrado!

PADRE   E piantala tu con 'sto pancino tondo! Allora Angela, ti muovi?

MADRE   Uou il cagnaccio s'è svegliato!

FIGLIA (*dal di dentro*)   Perché?... Cosa c'è papà?

PADRE   Voglio sapere delle cose...

FIGLIA   A proposito di che?

PADRE   Del pancino tondo!

MADRE   Bumpeta! La delicatezza del bisonte nero!

FIGLIA   Del pancino tondo? ... che pancino?

MADRE   Niente niente belee... è il tuo papà che non sta
tanto bene... continua tranquilla a fare la tua pipí santa,
che tanto a me fra un po' mi esce dal naso!

VOCE DALL'ESTERNO   Permesso si può?...

MADRE   Chi è?

VOCE DALL'ESTERNO   Sono io... il Pietro Mangiavespe...
se ci avete qualche cosa da darmi, cinquanta lire...

MADRE   Aspetta aspetta lí...

PADRE   Ah è il matto...

MADRE   Per carità non farlo entrare... è quello che parla
che s'intacca... tartaglia, è pieno di tic! Angela... muoviti vai tu alla porta!

PADRE   Ma che fastidio ti dà poveraccio...

MADRE   Sí poveraccio... se lo ascolto per dieci minuti, per
una settimana continuo a tartagliare che (*s'intacca*) faccio schifo... Hai visto, comincio adesso!

PADRE   Sí, sí sei proprio da ritirare... ma al cottolengo.
(*Rivolto verso la quinta*) Vieni vieni avanti Pietro, cosa
hai bisogno?

MANGIAVESPE (*entra. Questo personaggio è il classico*

«*idiota del villaggio*» *vestito con indumenti smessi e fuori moda: pantaloni larghi, camicia senza collo, panciotto scolorito, cappello*)   Tutto!

PADRE   Come tutto?

MANGIAVESPE   Dico che tutto ci avrei di bisogno, ma per il momento mi accontento anche di cinquanta lire... anche in moneta... (*il Mangiavespe ogni tanto parla inspirando*) ... un paio di scarpe anche vecchie... un bicchiere anche di vino... una bicicletta anche a pedali o col motorino. (*Batte con il tallone per terra come per una scossa*).

MADRE   Di' per caso Pietro, non è che sei capace (*contagiata dal Mangiavespe, s'intacca*) porco cane... di manovrare il telaio? Tu tutu...

MANGIAVESPE   Beh, insomma mi arrangio... (*Altro tic*).

MADRE   Bravo, allora vieni qui per dieci minuti al mio posto che poi ti do le cinquanta lire e anche il vino... guarda che sono due punti a crescere ogni tre righe...

MANGIAVESPE   Sí sí ho visto...

MADRE   Bravo... (*al padre*) dacci un occhio tu... (*Esce di corsa. Da fuori*) ...Dài Angela... esci... se no sbatto giú la porta...

FIGLIA   Eccomi... mamma, ma che esagerata!

MADRE   Vai a mettere su l'acqua sbrigati. (*La figlia entra in scena e mima su di un lato l'affaccendarsi intorno ai fornelli, la bombola del gas, accende i fiammiferi... ecc...*) Poi quand'hai finito dai il cambio a tuo padre...

Il Mangiavespe ha preso il posto della Madre al telaio. Lavora con una velocità incredibile.

PADRE   Accidenti Pietro, ma sei un campione... chi l'avrebbe mai detto ma dove hai imparato, dí?

MANGIAVESPE   Un po' qui, un po' là!

PADRE   Come un po' qui un po' là?

MANGIAVESPE   Eh sí, io vado intorno per le case a vedere se mi dànno qualche cosa... e tutt'intorno per quaranta chilometri in ogni casa, dove prima ci avevano la vacca da mungere, adesso ci hanno la macchina da far andare. E appena arrivo io, dappertutto mi fanno un sacco di feste... oh, bravo Mangiavespe... tieni un po' qui, dammi il cambio per un dieci minuti che devo metter su da mangiare... che devo dare la ciuccia al bambino... che devo andare a far su il letto... dar da mangiare ai conigli,

dar da bere alla vecchia che è ammalata, tirare il collo
alla gallina... suonare le campane a morto... e confessare
un paio di suore.

PADRE   Chi ha le campane da suonare o le suore da confessare?

MANGIAVESPE   Il sacrestano e il prete, che anche loro hanno comprato la macchina tessitrice...

FIGLIA   E dove la tengono, in sacrestia?

MANGIAVESPE   Certo... ma non c'è mica da meravigliarsi...
ormai i telai li trovi anche nelle tombe dei cimiteri...
Mi sembra un cinema che ho visto una volta che c'erano
dei mostri che si moltiplicavano come le uova delle rane... spuntavano dappertutto... trvvii!! che impressione!

PADRE   Hai ragione a dire che sono mostri 'ste macchine...
beato te Pietro che forse sei rimasto l'unico uomo libero in tutta la regione, guarda!

MANGIAVESPE   Macché libero! Se voglio tirar su mille lire
per mangiare devo andare per case da mattina a sera... e
in ogni casa mi mettono alla macchina venti minuti, mez-
z'ora di norma e qualche volta anche un'ora! Mi dànno
l'un per l'altro cinquanta lire a testa... per far su mille
lire devo passare almeno in venticinque case... quindi come media sono almeno dieci-dodici ore al giorno di lavoro più la strada... qualche decina di chilometri a piedi... e altri dieci per tornare a casa! Stracco morto... e tu
dici che sono libero! Ma è meglio andare in miniera!!

PADRE   Forse hai ragione tu... ti converrebbe tornare in
manicomio...

MANGIAVESPE   Infatti ad un certo punto mi sono scocciato... ci sono tornato in manicomio, dove ho scoperto che
per i matti hanno adottato una nuova terapia...

PADRE   Quale?

MANGIAVESPE   Li fanno lavorare ai telai... proprio come
matti! tutto il giorno e li pagano trenta lire all'ora...
altro che l'elettroshock!... e via che sono scappato come
una saetta! Ma tanto è lo stesso... là o qui... non so dove
sbattere la testa... se va avanti cosí va a finire che divento matto, ma sul serio dico, nel senso che divento come
voi!

MADRE (*entrando*)   Cos'è che siamo diventati noi? Tieni
Pietro, qui ci sono le tue cinquanta lire... e qua c'è il vino... e tante grazie... (*Al marito*) Hai visto? ... siamo di-

ventati datori di lavoro anche noi! (*Al Mangiavespe*)
Torna pure quando vuoi che ci fai sempre piacere...

MANGIAVESPE   E lo so che faccio piacere...

MADRE   Ci vediamo... (*Riprende il suo posto al telaio*).

MANGIAVESPE   È difficile che ci vediamo, perché adesso
vado a sputare in un occhio al signor Pretore...

MADRE   Al Pretore? perché... cosa ti ha fatto?

MANGIAVESPE   Niente! Ma io ho bisogno di riposarmi...

MADRE   E sputandogli in un occhio ti riposi?

MANGIAVESPE   No, ma lui si arrabbia...

MADRE   E ci credo...

MANGIAVESPE   E cosí io vado in ferie... perché lui si puli-
sce l'occhio e chiama il maresciallo che mi sbatte al fre-
sco; mi faccio un bel riposo come se fossi alla clinica San
Giuseppe che è quella degli industriali con l'infarto... e
lí mi dànno due pasti al giorno... tutto gratis e tranquillo... che in galera i telai meccanici non ce li hanno ancora messi che per fortuna è ancora amministrazione bor-
bonica! (*Esce*).

MADRE   È proprio matto...

PADRE   Ho i miei dubbi che sia proprio matto...

FIGLIA   Lascia a me papà, tira un po' il fiato anche tu...
(*Prende il posto del Padre al telaio*).

Il Padre sfinito sta per sedersi.

MADRE   Intanto che tiri il fiato, ti dispiace buttare giú il
riso e girare il risotto che non attacchi... svelto che sennò brucia il soffritto!

PADRE (*va al fornello*)   Ehi, giro, giro... prima tiro... adesso butto e giro... un giorno o l'altro farò come il Mangiavespe... vado anch'io a sputare in un occhio al Pretore... cosí lo tiro davvero il fiato!

FIGLIA   Ma cosa ti prende papà... con chi ce l'hai adesso!?

MADRE   Chi lo sa?... forse con qualcuno che gli è andato a
spifferare che la sua bambina ogni tanto fa il turno di
notte...

FIGLIA   Chi è quella carogna?

MADRE   Tua madre...

FIGLIA   Tu?

MADRE   Sí, sono io la carogna! Io e tuo padre siamo qui a
farci venire la scoliosi, l'artrosi a sgobbare come dannati
per sedici ore al giorno anche alla festa che se ci mettes-

sero delle catene e ci legassero alla macchina, manco ce
ne accorgeremmo... e tutto perché? per farti fare la signora a te, per farti lavorare in fabbrica, la carina, soltanto otto ore al giorno... sabato mezza giornata domenica riposo!

FIGLIA   Ma mamma... stai a sfottere? La signora in fabbrica?!

MADRE   Non sfotto! se tu lavorassi al telaio, come noi, non
ci avresti poi la forza alla sera di andartene per tetti col
moroso a smicionare: crolleresti a pera cotta come noi!

FIGLIA   Infatti mi viene da crollare... stai tranquilla... è
solo perché gli voglio un gran bene che...

PADRE   Allora è vero che ce l'hai il moroso!

FIGLIA   Sí, non l'ho mai negato...

PADRE   Ma neanche ce l'hai mai detto!

FIGLIA   La mamma lo sapeva...

PADRE   Ah beh, allora se lo sapeva la mamma basta! E dove andate a far tardi tu e il tuo moroso?

FIGLIA   Un po' qui e un po' là...

PADRE   Un po' qui e un po' là?

MADRE   Forse è un parente del Mangiavespe, s'è fatta un
moroso senza fissa dimora... Vanno sotto i ponti dell'autostrada e ne cambiano uno ogni sera!

PADRE   Teresa piantala di fare la spiritosa... (*Alla figlia*)
Allora si può sapere dove andate?

FIGLIA   A casa sua...

PADRE   Tutta la notte?

FIGLIA   Sí, tutta la notte... perché?

PADRE   Ma la vigliacca boia... mia figlia che va a letto, in
casa del moroso...

FIGLIA   Perché, se invece andavamo a spendere tremila
lire in un albergo, saresti stato piú contento?

PADRE (*si avvicina minaccioso alla figlia*)   Ma... ma io ti
spacco la faccia... 'sta vergognosa!... ti riempio la faccia di sberle!

MADRE (*si intromette fra i due con tono autoritario*)   Calma... uei calma!... Torna a girare il tuo risotto tu... e tu
«amorosa» sta attenta a non spaccarmi il filo, se no le
sberle te le do io! a tutti e due le do!

La Figlia torna alla macchina. Il Padre guarda sbalordi-
to la Madre come volesse reagire, ma poi ci ripensa e
torna al fornello. Anche la Madre riprende a lavorare.

PADRE   Hai capito... mia figlia si scopre che cosí... insomma... fa l'amore in letto privato e chissà da quanto tempo... ed è come se niente fosse... tutto normale... quello
che importa è che non si rompano i fili e non attacchi il
risotto. E chi è 'sto moroso?

FIGLIA   Anche se te lo dico, non lo conosci...

PADRE (*alla madre*)   E tu lo conosci?

MADRE   No, neanch'io...

PADRE   Ah sí... ma scusa tu, sei la sua mamma, o una che
passa di qui per caso?

MADRE   Sí, sono la donna che viene qui a fare i mestieri a
ore... Ma di'... come faccio a conoscerlo 'sto ragazzo che
sono sempre qui che non sono mai uscita manco per andare a vedere in piazza il Festival dell'Unità che cantava Dorelli e poi parlava Pajetta che è proprio l'accoppia-
ta che mi piace di piú!

PADRE   E non potevi farlo venire qui lui?

MADRE   Chi Pajetta?

PADRE (*alla Madre*)   Piantala! No, il ragazzo...

FIGLIA   Non può... perché lui lavora al telaio in casa sua,
sedici ore al giorno di fila e guai se smette... che sono in
ritardo piú di noi con le cambiali...

MADRE   L'unica sarebbe prendere un camion e traspor-
tarlo qui, lui il suo telaio la sua mamma... cosí si può
continuare a lavorare... come va? allora le lenzuola le
mettiamo noi, o voi?

PADRE   E i suoi genitori come la prendono?

FIGLIA   Male... non mi possono vedere... hanno paura che
gli porti via il figlio prima che abbiano finito di pagare i
telai...

MADRE   Beh hanno ragione... farei anch'io cosí...

PADRE   No, tu faresti peggio...

FIGLIA   Peggio di quello che ha fatto sua madre non credo
di sicuro...

MADRE   Cos'ha fatto?

FIGLIA   M'ha detto che se io resto... sí insomma... nel caso
che... salta fuori che aspetto un bambino, che dopo lui
mi deve sposare, lei mi ammazza!

PADRE   Ma ti ammazzo anch'io se mi fai una cosa del genere...

MADRE   Cuccia lí e gira... e non dire cretinate... (*cambiando tono*) l'ammazzo io! ... Un giorno o l'altro pianto qui

'sta macchina e vado a dirgliene quattro a quella mégera.

FIGLIA   Intanto m'ha fatto giurare che avrei preso la pillola tutte le mattine...!

MADRE   E tu cos'hai fatto?

FIGLIA   E io la prendo.

MADRE   Anche tu?

FIGLIA   Perché la prendi anche tu?

MADRE   No, io la do a te.

FIGLIA   Quando?

MADRE   Tutte le mattine!

FIGLIA   Ma quando che non me ne sono mai accorta?

MADRE   Per forza, te la metto nel caffelatte con lo zucchero!

FIGLIA   Tutte le mattine?

MADRE   E sí... mi spiace, ma da quando ho capito che c'era del «baci baci amore amore» io ho detto: «quella è tanto oca che magari ci resta, non voglio saper leggere né scrivere, io la ingesso!»

FIGLIA   Ma sei sicura che anche nel latte faccia lo stesso effetto?

MADRE   Come no... tu ne avanzi sempre un goccio per la gatta no? E infatti è piú di un anno che lei non fa gattini.

FIGLIA   Mamma guarda... oddio, il papà si sente male... (*Infatti l'uomo barcolla, si affloscia rantolando*). Presto tiriamolo su...!

MADRE   Torna alla macchina! Continua a lavorare tu... ci penso io... su Michele... su che non è niente... vieni qui. (*Lo aiuta ad alzarsi e lo trascina davanti al telaio*) Su da bravo... prendi la staggia... (*Standogli dietro gli muove le braccia come fosse un pupazzo, facendogli fare i movimenti del lavoro*).

FIGLIA   Ma mamma cosa fai?

MADRE   Respirazione artificiale... il movimento del telaio è quello che c'è di meglio per queste crisi! (*Verso la finestra di fronte*) Ehi giovanotto.... (*fischia*) ehi... signor Luigi... binoccolo!... Guarda quel boia... quando c'è bisogno di lui fa apposta a non affacciarsi... oh eccolo finalmente... Sí sono io che ho chiamato... c'è mio marito che sta male... se può chiamarmi il dottore o qualcuno... lei che ha il telefono... ma che venga subito... sí grazie... (*Il Padre si è ripreso, ora il telaio lo fa andare senza l'aiu-*

to della Madre). Vedi, vedi ha già ripreso a lavorare...
bravo!... su... su Michele... ma cosa t'è venuto?... son
quelle sigarette che fumi...

PADRE   Piantala te e le sigarette... Che vergogna, che schifo... la figlia battona, e la madre che le tiene mano...

MADRE   Ma dico Michele... sei diventato matto?... Cosa
straparli?

PADRE   No, non sono matto... io vi ammazzo tutte e due...
e poi mi sparo... che mi avete infangato il mio nome...
il mio onore... Che ho una figlia che sta fuori a dormire e
poi prende pure la pillola... anzi due... che una gliela dà
anche la madre... per sicurezza... che non si sa mai.

MADRE   Beh, lí hai ragione... è stato un po' uno spreco inutile! (*Va al fornello e si occupa del riso che sta cuo-
cendo*).

PADRE   E ci sfotti pure! Ma che razza di madre sei?

MADRE   Ma certo che ci sfotto... e io chiedo a te che razza
di padre e di uomo sei tu... di rivoluzionario e marxista e
di ex combattente per la libertà... che perché scopre che
la figlia fa l'amore senza essere ancora sposata e poi
prende la pillola... gli viene la crisi... il coccolone che
momenti ci crepa... Ma allora 'sto fatto dell'amore libero che cos'è? una battuta che il Lenin buttava lí tanto
per far ridere gli amici? E 'sta pillola cos'è... una schifo-
sata dei capitalisti borghesi per corrompere il sano proletariato?! O è solo perché tu sei un buon cattolico e
allora sei d'accordo col papa che si fa peccato mortale
e si va all'inferno a voler limitare le nascite, che quella
è una pensata da cinesi del Mao!

PADRE   Ah, sei brava... porco cane se sei brava a voltare la
frittata... in quattro e quattrotto mi hai sbattuto là che
mi sento peggio di un sacrestano reazionario... che invece di essere orgoglioso d'avere una figlia cosí spregiudicata... e una moglie cosí moderna tutta casa e telaio...
anzi solo telaio che quei due catorci sono l'unica cosa
che ti interessa al mondo...
E porco giuda boia maledetto il giorno che mi son fatto
incastrare a darti retta: «Dài lasciati licenziare... facciamo come tutti gli altri: col mezzo milione di liquidazione che ci dà il padrone ci tiriamo in casa le macchine, il
resto in cambiali... vuoi mettere, in casa nostra lavoriamo meglio, piú liberi... piú comodi... piú contenti... Sí,
piú contenti: siamo qui a farci tirare il collo come degli

imbecilli dal padrone che adesso guadagna il triplo, risparmia i soldi delle macchine e dei capannoni... non ha più da pagarci né la mutua né la tredicesima, né il fondo pensioni: gli straordinari glieli facciamo gratis! la maggior parte delle famiglie fanno lavorare anche i bambini di otto anni... tanto che a scuola dopo la terza non ci va quasi più nessuno... Siamo qui peggio che in galera a farci strozzare anche da quei bastardi dei procaccia, dei committenti... se cerchi di fare uno sciopero... ti tagliano fuori; ci lasciano senza lavoro e i lavoranti li vanno a cercare nel Polesine... nelle Marche... che lí hanno più fame che qui e li pagano meno!

Durante la battuta del Padre, la Madre perde l'atteggiamento provocatorio e la sua rabbia si trasforma in dolorosa coscienza.

MADRE   Sí, d'accordo, ci hanno fregati... e allora? che ci possiamo fare io e tua figlia... perché te la prendi con noi?

PADRE   Ma io me la prendo con tutti... con tutto 'sto mondo bastardo... che mi domando per che cosa sono stato in montagna... per che cosa ci siamo fatti scannare in tanti... e sbattere al muro... che è peggio di prima... che adesso abbiamo pure la beffa della deformazione professionale del sedere ripieno alla baiadera. Ah, ma io mica voglio crepare come un verme imbesuito... io mi devo far accoppare giorno per giorno da questa macchina schifa porca...? Ma io la spacco... spacco tutto io... (*Ha afferrato un grosso bastone e si mette a menare fendenti terribili sulla macchina, che naturalmente non esiste, ma il fracasso «doppiato» dal rumorista dà l'idea del danno prodotto*).

MADRE   No, matto... fermo Michele, no... oh no, la macchina no!

FIGLIA   Papà... smettila... Papà... ti prego...

PADRE   Via... se no vi spacco anche a voi!...

La Madre cerca di fermare il Padre nella sua opera di distruzione delle macchine. Il Padre è come se non la vedesse e nel suo forsennato agitarsi dà una bastonata alla Madre.

FIGLIA   Mamma... che hai fatto? L'hai ammazzata... disgraziato!... Sulla testa l'hai presa!! Mamma... rispondi...

La Madre accusa il dolore alla testa, ma il dolore piú grande è la distruzione delle sue macchine. Si avvicina ad esse.

MADRE   I telai, i miei telai, gli aghi... rotti... tanti sacrifici... le cambiali... tre milioni di cambiali... (*Si avvicina disperata al marito*) Michele... perché... Michele... (*Si porta la mano al cuore per un improvviso dolore*) Sto male... (*Cade in ginocchio*).

FIGLIA   Papà... aiuto! la mamma sta male... straparla... è fredda gelata.

Come impazzito il marito è rimasto bloccato allucinato.

PADRE   Macchina schifa... la rompo... lei e il suo sederotto alla baiadera...

FIGLIA   Papà... Non stare lí impalato... aiutami!

PADRE   Io vado in tutte le case... dove ci hanno le macchine... e gliele rompo... spacco tutto! E poi gli sputo in un occhio!

VOCE DALL'ESTERNO   È permesso?

FIGLIA   Avanti... chi è?

PRETE   (*entrando*)   Sono il parroco, mi hanno telefonato che c'è qualcuno che sta male...

PADRE   Sí, è mia moglie... le ho spaccato la testa... a lei e alla sua macchina con tutto che io le voglio bene a mia moglie... tant'è vero che abbiamo tutti e due il sedere che va di moda in Brasile... piace... sapesse come piace! La mossa! Questa invece è mia figlia che fa l'amore con due pillole per volta finché la madre del suo moroso non ha pagato le cambiali!

FIGLIA   Papà... ti prego... (*al prete*) mi spiace che l'abbiano disturbata reverendo... noi avevamo chiesto che ci mandassero un medico...

MADRE   (*rinvenendo, vede il Prete di spalle*)   Angela... chi è questa donna in lutto!?

PRETE   (*si volta verso la madre*)   Sono il parroco.

MADRE   Cos'è già Pasqua... che è venuto a benedirci le macchine?

PADRE   No, è venuto per te Teresa per darti l'oliosanto!

PRETE   Non esageriamo... io son qui... soltanto...

MADRE   Guardi signor curato... che io l'avverto...: al mio funerale io voglio la bandiera rossa in testa a tutti! Non transigo! E voglio che cantino sparato « Il padrone fa il suo mestiere... se lui ci strozza è perché noi glielo permettiamo. Il padrone in paradiso andrà perché i poveri di spirito non meritano pietà ». Non la conosce... beh... dopo gliela insegno... Ad ogni modo se poi ci vuol venire dietro anche lei al funerale, tanto per far numero... s'accomodi: noi siamo per il dialogo.

FIGLIA   Non ci faccia caso signor curato... è per la gran botta che straparla.

PRETE   Accidenti che livido... ma perché non ci mette un po' di ghiaccio?

FIGLIA   Ha ragione... vado subito a prenderlo.

MADRE   No, tu non vai a prendere un bel niente, tu torni alla macchina... sbrigati! chi ti ha detto di piantare lí il telaio fermo? (*Automaticamente la Figlia va verso i telai, ma si rende conto che non si possono usare*). Sono rotti... oh già! Signor curato... faccia il bravo... mi aiuti... magari lei è bravo ad aggiustarmeli... me li faccia andare che non si può lasciarli lí cosí fermi che devono lavorare sedici ore minimo al giorno... che se lei me le aggiusta io poi le faccio un bel regalo.

FIGLIA   Le dica di sí... cosí si mette l'anima in pace.

PRETE   Beh, vedrò di arrangiarmi per quello che ne so... (*si avvicina al telaio*) sono proprio dello stesso modello della mia. Forse qui si può raddrizzare... Mi dia una mano signor Michele. Cerchi di far leva con quel paletto... che io riavvito 'sti bulloni... (*Leva dalla tasca una busta contenente cacciaviti, pinze ecc.*).

PADRE   Sí sí, l'aggiustiamo... e poi io la spacco, la sfascio un'altra volta! tutta la rompo!

MADRE   No tu la pianti, non spacchi un bel corno!

PADRE   Io spacco tutto, anche il corno... e poi sputo in un occhio al Pretore! E anche a te sputo in un occhio reverendo... perché hai la faccia da prete!

FIGLIA   Non ci faccia caso signor curato... è andato un po' giú di rigolo anche lui!

PRETE   Vedo, vedo... ma io non faccio piú caso a niente ormai!

MADRE   Angela, prendi la catena, quella con il lucchetto
che serviva per il pollame e lega tuo padre!

FIGLIA   Ma mamma adesso basta: che mi sembra di essere in una gabbia di matti!

MADRE   Ho detto di legarlo!

PADRE   Sí, legami pure che tanto io poi spacco tutto lo
stesso... guarda qua: mi lego anche da solo: toh! (*Esegue*).

MADRE   Svelta, chiudigli il lucchetto! Brava! Adesso togli
la chiave e dammela. Grazie! Mi fai un piacere Angio-
lina?

FIGLIA   Ma certo, di' pure.

MADRE   Mi porti un bicchiere d'acqua? Ho la gola che è
un fuoco!

FIGLIA   È la febbre... Ci vuoi dentro un po' di limone?

MADRE   No, preferisco senza.

Entra la Committente. Carica di pacchi e festosa.

COMMITTENTE   Permesso... allegri gente! C'è qui la befa-
na santa: siamo pronti con le consegne? ...forza scattare che devo passare a ritirarne ancora quindici prima di
sera! Qui ci sono le matasse nuove... qui la busta paga...
Oh, buon giorno reverendo... cosa fa di bello da queste
parti?

PRETE (*sta sempre lavorando intorno ai telai*)   Faccio il
meccanico... a tempo perso...

COMMITTENTE   Ah prete operaio allora? che bello... e la
Teresa... cosa le è successo?

FIGLIA   Sta male... Tieni mamma... bevi...

MADRE   Tirami su... se no non ce la faccio... ecco basta... è
andata giú!

FIGLIA   Cosa?

MADRE   La chiavetta.

FIGLIA   Hai mandato giú la chiavetta del lucchetto?

MADRE   Sí, adesso non potrà piú rompermi le macchine!

FIGLIA   Oh mamma! Reverendo la mamma ha ingoiato
una chiave!

PRETE   Le avete dato da bere una chiave? Ma che cura è?

COMMITTENTE   Povera donna è qui che scotta... ma come
le è successo?

PADRE   Sono stato io... una bastonata!

COMMITTENTE   Michele... ma cosa fai cosí legato?

PADRE   È perché non vogliono che spacchi le macchine e
poi che prenda a legnate anche te! bastarda!

COMMITTENTE   Ehi, ma dico... spero che scherzerai...

PADRE   Sí sí, scherzo... non è a legnate che ti voglio prendere strozzina ma a pedate... e poi ti sputo in un occhio... (*La afferra per le braccia e come un prestigiatore
si scioglie velocissimo dalle catene e incatena la donna*).

FIGLIA   No papà, lasciala stare!

COMMITTENTE   Aiuto... Teresa! Tuo marito è impazzito... Guarda se mi tocchi... ti faccio sbattere fuori dal
partito...

MADRE   Fermati Michele... no... non devi farlo! Aiutami
Angela... lo devo fare io... io devo prenderla a calci e poi
sputarle almeno in un occhio... prima di morire... l'ho
sempre sognato!

PADRE   Sí Teresa... te la tengo... te la tengo ferma io!

PRETE   Ma che fate, andiamo!

MADRE   Tu prete operaio interessati della mia macchina!
Che è già tanto! Aiutami Angela... porca d'una miseria...
la gamba... non riesco ad alzarla...

FIGLIA   Forza mamma te la sollevo io.

La Committente tenuta dal padre, viene presa a calci nel
sedere dalla madre.

COMMITTENTE   Adesso basta, lasciatemi andare!

Nella colluttazione alla Committente cade una busta.

PADRE   Che cos'è questa busta? (*La raccoglie*).

COMMITTENTE   Dammeli qua sono i miei bollini... i bollini per le tessere nuove... ci sono anche i vostri!

MADRE   Ah sí? Bene... dammeli qua, li compro tutti io...
dammeli qua che te li incollo tutti sulla faccia!

COMMITTENTE   No, per dio! Ve la faccio pagare... vi faccio sbattere fuori tutti e tre!

MADRE   Angela... Michele... tenetemi su... che sto caden-
do... non ci vedo piú... ho freddo!

Il Padre e la Figlia sostenendo la Madre la fanno stendere sul praticabile a destra palcoscenico. Si abbassa la
luce. Entra il Mangiavespe nei panni del commissario

politico: giaccone di pelle berretto con visiera del tipo dei commissari politici al tempo della rivoluzione russa. Questa scena è il sogno della Madre che sta morendo.

MANGIAVESPE   Fermi tutti! Ognuno al suo posto... cominciamo il processo.

FIGLIA   Senti Mangiavespe, vattene perché questo non è proprio il momento di fare il matto!

MANGIAVESPE   Non sono matto e non mi chiamo Mangiavespe...

Sale lentamente la luce che però rimarrà bassa per tutta questa scena.

FIGLIA   Va' beh, Pietro vattene!

MANGIAVESPE   Neanche Pietro, sono il commissario politico Ivan Compatti!

MADRE   Commissario politico?

MANGIAVESPE   Certo, non vedi che ci ho il giaccone di pelle e il berretto con visiera come da regolamento?

MADRE   Eh già... proprio come nei film russi nel '21! Oh, ma tu guarda!

COMMITTENTE   Mi volete sciogliere da 'ste catene... ehi parlo con voi!

Nessuno le bada.

MANGIAVESPE   Silenzio: seduti! e rispondete per ordine alle mie domande.

Tutti si siedono.

MADRE   Chi l'avrebbe mai detto: il Mangiavespe... avete notato che non balbetta quasi più...

MANGIAVESPE   Non ho mai balbettato, facevo finta...

MADRE   Allora facevi finta anche di chiedere la carità?

MANGIAVESPE   No, la carità, quella la chiedevo sul serio: a noi commissari politici ci dànno uno stipendio da fame, che se non arrotondiamo... Ma intanto ho approfittato per andare in giro e fare la mia brava inchiesta.

PADRE   Che inchiesta?

MANGIAVESPE   Sul comportamento degli iscritti e dei dirigenti... ci sarà una purga!

PADRE   Una purga? Come con Stalin? Oh era ora... (*fa il gesto di sparare con un mitra*) ta-ta-ta...

MANGIAVESPE   No, niente ta-ta-ta...

PADRE   Peccato.

MADRE   Peccato.

MANGIAVESPE   Il partito ha deciso di sbattersi via dai piedi tutte le taccole, i pidocchi e le camole che gli stanno addosso... non vuole gente furba, né i politicanti né gli addormentati... via tutti! a costo di restare in quattro gatti!

COMMITTENTE   Beh, allora tanto per cominciare io avrei da denunciare questi tre iscritti... che oltre avermi insultato...

MANGIAVESPE   Piano, piano, andiamo per ordine: chi sei tu?

COMMITTENTE   Sono dirigente di sezione... attivista... iscritta dal '55...

MANGIAVESPE   Brava... e che mestiere fai?

COMMITTENTE   L'incettatrice, o la committente, come dicono qui...

MANGIAVESPE   Che cosa vuol dire?

COMMITTENTE   Beh, vado dal padrone, ritiro le matasse e le distribuisco nelle varie case dove ci hanno le macchine, nello stesso tempo ritiro la merce finita e la porto al padrone, che mi paga.

MANGIAVESPE   Quanto ti paga?

COMMITTENTE (*imbarazzata*)   Beh, lo sanno tutti...

MANGIAVESPE (*autoritario*)   Quanto ti paga?

MADRE   Il doppio di quello che dà a noi...

MANGIAVESPE   Silenzio!

COMMITTENTE   Beh, se è per quello anche lui, il padrone guadagna il doppio di quello che guadagno io!

MANGIAVESPE   Allora, per capirci, se un capo finito viene pagato da te duecento lire, il padrone te ne dà quattrocento e lui lo vende a ottocento... è cosí?

COMMITTENTE   Sí, piú o meno.

MANGIAVESPE   Bene! allora ti dichiaro espulsa dal partito per tradimento della classe.

COMMITTENTE   Che tradimento: non ho mai tradito io... ho fatto cinquanta tessere soltanto quest'anno!

MANGIAVESPE   A chi hai fatto le tessere? agli stessi che sfrutti ogni giorno, che strozzi magari!

COMMITTENTE   No, io non li sfrutto, è il mercato che decide cosí...

MADRE   'Sta figlia di buona donna guadagna venticinque-
mila lire al giorno di media sul lavoro di venti famiglie che tutte insieme non guadagnano la stessa cifra e
viene a cacciare che non sfrutta!

COMMITTENTE   Ma è il mercato che decide cosí. D'altra
parte se io solo mi azzardassi a pagarvi qualche soldo in
piú gli altri incettatori mi farebbero la pelle... tanto per
cominciare andrebbero dal padrone a dire che io gli rovino la piazza e quello mi toglie subito il lavoro.

PRETE   Certo, è la legge del profitto... non puoi farci
niente! E poi se non lo facesse lei di strozzarvi, lo fareb-
be subito un altro... e non cambierebbe... tanto vale allora lasciare che continui lei... che è dello stesso partito,
se non altro!

MANGIAVESPE   Ma questo è un discorso da preti!

MADRE   Infatti l'ha fatto il reverendo che per caso è pure
prete.

MANGIAVESPE   Ma davvero non ti rendi conto che sei nel
«mazzo» degli sfruttatori... che sei un piccolo padrone
anche tu?

COMMITTENTE   Ma il partito non ha mai detto che i piccoli padroni bisogna combatterli, anzi, ci han sempre
spiegato che il nostro nemico è solo il grande capitale, e
che il piccolo e medio capitale dobbiamo farcelo alleato... l'ho letto un sacco di volte.

MANGIAVESPE   Farcelo alleato, non vuol dire eleggerlo a
dirigente...

COMMITTENTE   Come no, se vuoi ti dico i nomi di un sacco di piccoli proprietari, piccoli industriali, grossi al-
bergatori, grossi commercianti, che sono stati eletti sindaci, segretari e compagnia bella!

PRETE   Non accetto queste basse insinuazioni... qui si
generalizza. Si prende un caso limite e si cerca di farlo
passare per consuetudine come se tutta la direzione del
partito fosse nelle mani del piccolo e medio capitale.

COMMITTENTE   Ma io ho fatto un esempio, non ho gene-
ralizzato.

PRETE   Gli esempi non si fanno mai... in politica... denunciare un caso equivale denunciare tutto un sistema...
quindi niente critiche... le critiche avvantaggiano solo
il nemico!

MANGIAVESPE   Ma Lenin diceva che la critica è la forza di un partito veramente rivoluzionario.

PRETE   La critica costruttiva però...

MANGIAVESPE   Certo!

PRETE   E la critica costruttiva è soltanto quella che si fa contro un altro partito! Non contro il proprio!

PADRE   Oeu! ma questo è un discorso da gesuita!

PRETE   Non sono gesuita!

MADRE   Beh, insomma è da prete!

PRETE   Non sono nemmeno un prete!

MADRE   Ah no? e allora perché è vestito da prete?

PRETE   Vedi, vedi... ti fai suggestionare dalle apparenze, non sei una vera marxista, poiché ti fermi all'esteriore... non vai in profondità nelle questioni... non sei un politico.

MANGIAVESPE   Zitto politico! Allora concludiamo... come dirigente dovevi dirigere i tuoi compagni nella lotta... incitarli e organizzarli negli scioperi...

MADRE   Già, invece l'ultima volta che ci abbiamo provato lei ci ha consigliato di non fare fesserie... che noi eravamo piccoli artigiani... e non potevamo scioperare.

COMMITTENTE   Non diciamo frottole... voi non avevate nessuna voglia di farlo 'sto sciopero... e non sapevate che scusa prendere... allora mi avete fatto pena e vi ho dato l'alibi io per farvi stare in pace!

MADRE   Toh, chi l'avrebbe mai detto che l'incettatrice era parente del prete politico!

MANGIAVESPE   Silenzio e poche storie: sei espulsa... riconsegna la tua tessera e fuori dai piedi.

MADRE   Bene! Bravo! Mi sento già meglio!

MANGIAVESPE   E anche voi siete espulsi... tutti e tre... forza indietro le tessere!

PADRE   Come? Cosa c'entriamo noi... noi siamo gli sfruttati!

MADRE   Appunto!

MANGIAVESPE   Non basta essere sfruttati per essere dentro il partito... bisogna anche dimostrare che si ha volontà di lottare... di rischiare... se dormi e accetti le cose come stanno... è meglio che te ne stai di fuori! Questo non è un partito d'opinione... che uno prende la tessera per farla vedere agli amici, come se fosse quella del calcio... non è un partito buono per tutti... per i cani e i porci... è solo per i proletari che ce la mettono tutta...

sempre! non solo nelle feste comandate e alla messa grande! No, niente, non è una chiesa... è un partito rivoluzionario questo!

PADRE   Ma io ho fatto la guerra di liberazione...!

MANGIAVESPE   Sí, ma adesso hai disertato!! Chi t'ha detto che la guerra era finita...? chi t'ha detto rompete le righe, e di metterti a tirare a campà?

PRETE   E tu, credi di essere il revisore, un revisore infallibile... te la prendi con loro perché non sono degli eroi... come se il padrone non contasse niente... il padrone che li può schiacciare come e quando gli pare? Che li ricatta, li terrorizza!

MANGIAVESPE   Il padrone fa il suo mestiere, è giusto, ha ragione di cercare di tenerli sotto... ma la piú grossa carognata che si possa fare verso lo sfruttato è quella di compiangerlo, di dirgli di non fare colpi di testa; non è il momento, restiamo nella legge... ci vuole pazienza... bisogna aspettare, stare uniti, avere fede nel partito: e chi è il partito? Il partito sono loro, la loro dignità, il loro coraggio, la loro disperazione... caro il mio pretaccio politico! E abbiamo bisogno di gente che si metta in testa a tirarli... non dietro a fare i frenatori... a farli sbollire.

Pian piano scende la luce.

MADRE   Bravo Mangiavespe... sí voglio dire commissario politico! Hai ragione... guarda anche se ci hai sbattuti fuori pure noi... Hai ragione! Bisogna davvero che sia un premio, una roba da meritarsi entrare nel partito. Mica una roba tipo: buon giorno, buona sera, ci sta? s'accomodi, benvenuto, faccia la sua offerta! (*S'è fatto buio completo, la donna continua a parlare*) Commissario politico... Ehi! Ivan, come si chiama! Dove sei?!

Sul buio totale il Mangiavespe scompare. Al lento risalire della luce ritroviamo tutti nella stessa posizione di prima che entrasse il Mangiavespe.

FIGLIA   Mamma, svegliati mamma!

MADRE   Eh, chi è? dove siamo? Angela... dove sei?

FIGLIA   Sono qui.

MADRE   Dov'è il Mangiavespe?

FIGLIA   Che Mangiavespe? Hai avuto un incubo mamma.

MADRE   Un incubo?... peccato... era cosí bello quell'incubo! (*Vede la Committente*) Ma no, che non è un incubo... c'è lei... che c'era anche prima che era sotto processo!

COMMITTENTE   Che cosa dice poverina... straparla ancora...

MADRE   Porco cane... ma allora a te non t'hanno buttato
fuori dai piedi!?

COMMITTENTE   Fuori dai piedi...? chi doveva... Oh povera Teresa... ma cosa dici?

MADRE   Eh inutile... il piccolo capitale resiste sempre...
eh, ringraziate dio...

PRETE   Sempre sia lodato...

MADRE (*al prete*)   Nel senso di Stalin ringraziate dio, che
quello era un sogno, se no...

FIGLIA   Che sogno mamma?

MADRE   Che scalogna... i sogni cosí belli dovrebbero essere sempre veri... se no, non vale!

PRETE   Signora Teresa, c'è una bella sorpresa per lei:
guardi sono riuscito ad aggiustarle tutti e due i telai...
vede?

FIGLIA   Forza papà: vieni qua che facciamo vedere alla
mamma come vanno bene... Guarda, ti promettiamo che
non li faremo fermare mai... per nessun motivo... sei
contenta?!

MADRE   Sí, sí sono contenta... ma ero piú contenta prima...
era cosí bello quel sogno: orco cane era meglio se non
mi svegliavo... se morivo addirittura... che bello (*Ripete le parole del Mangiavespe*) «Fuori, fuori dai piedi i
furbi, i politicanti e gli addormentati... questo non è un
partito per tutti i gusti: per cani e porci... Non basta
essere sfruttati... bisogna mettercela tutta, sempre... mica solo alla messa grande!! E bisogna avere il coraggio
di criticare e farsi criticare! La critica è la vera forza del
partito... solo la chiesa non si critica... è un partito rivoluzionario questo, non una chiesa!... via via le taccole, le camole, i pidocchi, e i pretacci politici! via...»
(*Muore*).

COMMITTENTE   Teresa... Teresa... Povera donna... è morta!

FIGLIA   Mamma mamma... (*Piange disperatamente*).

Entrano due Chierici con turibolo...

PRETE   Bravi arrivate giusto in tempo. Requiem eternam
dona eis domine... Lux perpetua luce.

PADRE (*in centro proscenio, come parlasse al dirimpettaio*)
Sí, è morta... beh... capisco che non possa venire al funerale... già il telaio... grazie lo stesso. (*Ai due Chierici*)
A proposito chierici, vi dispiace prendere il nostro posto alle macchine per un po'... che non si possono fermare, se no è la fine, loro devono andare sempre... sempre!

I due Chierici si dispongono davanti ai telai iniziano a
lavorare ritmicamente cantanto il *Dies Irae*, mentre la
luce si abbassa lentamente.

Il funerale del padrone

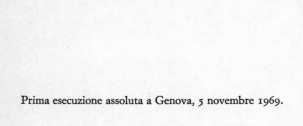

Prima esecuzione assoluta a Genova, 5 novembre 1969.

Elenco dei personaggi

Commissario, Professore, Primo parlamentare, Primo attore

Prima operaia, Franca: vedova del Padrone, Seconda attrice

Seconda operaia, Clara: amante del Padrone, Prima attrice

Terza operaia, Angela: Terza attrice

Primo operaio, Secondo: Carabiniere, Capolivellatore, Secondo attore

Secondo operaio, Ernesto: Medico, Secondo capolivellatore

Terzo operaio, Antonio: Terzo parlamentare

Quarto operaio, Menico: Gran Poiano, Secondo parlamentare, Terzo attore

Quinto operaio, Gianni: Prete, Quarto attore

Sesto operaio, Roberto

Macellaio
Prima voce pubblico
Seconda voce pubblico
Terza voce pubblico
Un capretto

Lo spettacolo inizia a scena completamente vuota a luce bassa. Dalla platea il Commissario, illuminato da un riflettore, parla in un megafono. Mentre il Commissario parla dal fondo della platea spuntano gli operai che occupano la fabbrica. Sono sei uomini e tre donne. Hanno coperte, zaini, gamelle. Consumano parte delle battute in platea, poi saliranno in palcoscenico. Il palcoscenico è il piazzale antistante la fabbrica.

COMMISSARIO   Attenzione, attenzione, qui è il commissario di PS che parla. Gli operai e le operaie che occupano
la fabbrica sono pregati di scendere ed aprirci i cancelli,
togliere le catene e i lucchetti che bloccano gli altri in-
gressi laterali, per dar modo alle forze dell'ordine qui
convenute di prendere possesso dello stabilimento, cosí
come da ordine prefettizio numero 143 G del quale vi
invito a prendere esame. Ordine intitolato per appunto
«Ingiunzione di sgombero occupanti Torcifilatura Ma-
gnelli Felpati». Vi si prega quindi di lasciare i locali di
detta fabbrica nel modo piú sollecito possibile badando
di non arrecare danni agli immobili e ai macchinari...
danni dei quali verrete senz'altro ritenuti responsabili a
termine di legge! Se entro dieci minuti l'evacuazione
non sarà portata a termine, saremo costretti nostro
malgrado ad intervenire con la forza... Vogliamo che
prendiate atto del fatto che abbiamo a disposizione piú
di cento uomini... e al contrario sappiamo che voi siete
rimasti non piú di dieci là dentro a fare il turno... dieci
di cui tre o quattro donne... Sbrigatevi, non fateci usare
i candelotti fumogeni. Non è roba simpatica da respira-
re, credetemi.
SECONDO   A't vegnis un cancar...
ERNESTO   C'era da giurarlo che venivano alle sei del mattino.
ANTONIO   Porco cane dormivo cosí bene.
ERNESTO   Manco dormire ti lasciano!
ROBERTO   Cosa facciamo?
CLARA   E cosa vuoi fare... prendiamo su i nostri quattro
stracci e sloggiamo... Tanto cosa ti credevi, che ci lascias-
sero qui a far la stagione?
MENICO   Beh, aspettiamo che arrivino almeno gli altri che
ci devono dare il cambio... sentiamo loro cosa dicono.

ANGELA   Ha ragione; arrivano fra mezz'ora neanche.

ERNESTO   Giusto cosí faccio in tempo a scaldare il caffè.

SECONDO   Sí, e che succede quando arrivano, mica li lasciano passare... s'accomodi dottore... prego contessa...!
Non vedi che ci hanno circondati completamente.

FRANCA   Sí ma porco cane mollare tutto cosí, dopo un mese e passa che ci stiamo scannando, che teniamo duro,
andarcene proprio con la coda in mezzo alle gambe...

GIANNI (*canta accompagnandosi con la chitarra*)   Eran trecento, eran giovani e forti, han calato le braghe e sono
morti!

CLARA   Che c'entra? mica è detto che l'abbiano vinta loro... se usciamo è perché la regola è di non creargli mai il
pretesto per mazzolarci e farci fuori... non aspettano altro loro!

FRANCA   Sí, la solita ritirata strategica...

SECONDO   Perché cosa vorresti fare tu? Star qui a farti
asfissiare? aspettare che comincino a spaccare tutti i ve-
tri che poi li mettono in conto a te?

ANTONIO   Io butterei una bomba e farei saltare tutto.

SECONDO   Stai qui a farti legnare che se sollevi un braccio
per ripararti dalle mazzate... zach sei subito in arresto
per resistenza a pubblico ufficiale.

FRANCA   Beh, ma se si ragiona a 'sto modo abbiamo chiuso davvero, mi spieghi che l'abbiamo occupata a fare
'sta fabbrica...

ANGELA   Ah perché secondo te non è successo niente...
non è servito a niente? Tutto il paese sa finalmente come ce la spassavamo qui dentro in 'sto letamaio...

SECONDO   Abbiamo messo il pepe in quel posto al prefetto, al sindaco, al vescovo, per non parlare del padrone...
Siamo riusciti a far entrare i sindacati per la prima volta
in fabbrica...

COMMISSARIO (*sempre dalla platea*)   Vi avverto che sono
passati già cinque minuti...

GIANNI (*cantando*)   No non fremere commissario, fra cinque minuti veniamo giú bella morosa...

FRANCA   Ehi, ma tu sei proprio invasato con 'sti sindacati... pare che siano tanti san Giorgio che ci vengono a liberare dal drago?! Intanto mi hanno detto che alla Pirelli e alla Fiat i tuoi sindacati in principio si son fatti
scavalcare dagli operai... che loro facevano i frenatori, fa-

cevano, come hanno fatto anche alla Rodiatoce e a Marghera...

ERNESTO   Ueilà, incomincia questa qui, con i sindacati.

SECONDO   Ma che me ne frega a me della Pirelli, della
Fiat e di Marghera. Io sono qui! mica là, e so che qui, se
non c'erano quelli del sindacato, ce la facevamo sotto al
primo botto...

ANTONIO   Beh qui hai ragione.

SECONDO   E so anche che qui da noi non c'è gente che si
fa tirare... ma addirittura si fa trascinare di peso... un
peso morto cadavere...

ANTONIO   No, questo non è vero!

FRANCA   Di' ce l'hai con me...?

SECONDO   No, non ce l'ha con te, tu non ti fai trascinare...
tu ti muovi da sola... ma per farti i fatti tuoi... intanto
che gli altri...

COMMISSARIO (*dal fondo platea*)   Sbrigatevi... per favore... non fateci perdere la pazienza...

MENICO   Arriviamo, arriviamo commissario... pesa 'sta
roba!

FRANCA   Senti, tu adesso mi fai il favore di ripetere quello che hai detto... Chi si fa i fatti suoi? chi ha mai detto
che voleva mollare...?

SECONDO   Senti, se non ti dispiace ne parliamo quando
siamo sotto... adesso mi pare proprio che non sia il momento... avanti muoviamoci...

FRANCA   Eh sí, che invece è il momento... non permetto
che mi si dia della furbastra che naviga...

SECONDO (*interrompendola*)   Ma chi t'ha detto una roba
del genere?

FRANCA   Tu, e io te lo faccio ringoiare... capito! Ti prendo
a sberle!

GIANNI (*canta su un'aria popolare, accompagnandosi con la
chitarra*)   Il padrone ha buttato l'osso, tutti i cani si
buttano addosso, si buttano addosso si mordon le code
e il padrone è il sol che ci gode.

MENICO   Su, non stiamo a litigare... fra di noi... Andiamo,
invece di essere uniti. Proprio adesso!

FRANCA   Ma è lui, scusa, che insulta! fa il trionfalista:
sventola la bandiera vittoriosa del sindacato in lotta
proprio sul piú bello che stiamo mollando le braghe.

Ora gli operai sono tutti in palcoscenico.

COMMISSARIO (*sempre dalla platea, ma sotto al palcoscenico*)   Oh bravi, ce n'è voluta... Accomodatevi... Fatemi il favore di aspettare qui sul piazzale esterno, prima di andarvene: vorrei dare un'occhiata dentro... se
non avete combinato qualche guaio. Dieci minuti...

ERNESTO   Giusto il tempo di far scaldare il caffè! (*Esegue*).

MENICO   Scusi commissario se non abbiamo messo tutto
in ordine...

CLARA   Se non abbiamo messo giú la cera... Lei è venuto
cosí di sorpresa... proprio non l'aspettavamo!

ANGELA   Dico un colpo di telefono poteva almeno farcelo... gli avremmo preparato il tè con i pasticcini...

ERNESTO   Cinque minuti e c'era pronto il caffè!

COMMISSARIO   Per favore non facciamo tanto gli spiritosi! Non vi conviene proprio stare a sfottermi.

SECONDO   Ha ragione... non ci conviene, o forse ci conviene invece... Magari se ci va bene lei ci arresta... ci
mette dentro... e cosí lo Stato è obbligato a mantenerci...

CLARA   Tanto al punto in cui siamo... sfrattati dalla fabbrica... fra poco ci sfratteranno anche dalla casa... che
non paghiamo l'affitto!... almeno in galera un tetto ce
l'abbiamo... un piatto di minestra pure...

SECONDO   E magari anche il caffè Hag alla domenica!

ERNESTO   Perché, il mio non ti piace?

FRANCA   Sí, sí, commissario ci arresti... sia buono che fra
poco è Natale... e in galera ho saputo che dànno una fetta di panettone a testa e pure i mandarini!

ANTONIO   Ci arresti!

COMMISSARIO   Andiamo ragazzi... perché ve la prendete
con me... come se fossi io a cacciarvi fuori di mia inizia-
tiva... credete che mi diverta a far lo sbirro con della
gente che sta difendendo il proprio pane? C'è da star
male, ve lo giuro, ma io devo eseguire gli ordini... Fate
conto che io sia una telescrivente che raccoglie e regi-
stra... potete forse prendervela con una telescrivente?

FRANCA   No, ha ragione... non si può... tutti quelli che
prendono ordini senza discuterli sono telescriventi...
truccati di volta in volta da commissari, colonnelli, ca-
pistazione. Quando hanno impiccato a Norimberga quei
dieci nazisti delle SS... poi sono rimasti male perché da
morti si è scoperto che erano tutte telescriventi. Olivet-
ti esportazione.

Tutti ridono divertiti.

COMMISSARIO   Per la miseria, ma siete proprio delle carogne... scusatemi, mi fate pentire di essere una persona
civile! È proprio vero che con voi è sempre meglio usare i metodi tradizionali... a pesci in faccia... tenere le di-
stanze... non accettare dialoghi... discussioni... nessuna
comprensione e lo apprezzate di piú!

CLARA   Certo che lo apprezziamo di piú, ma è logico... lei
pretende che oltre a grattarci le rogne nostre noi si stia
qui a grattargli pure il suo prurito pietoso...

ANGELA   Asciugargli gli occhietti pieni di lacrime commos-
se... soffiargli il naso... e dargli il bacetto...

SECONDO   La cosa peggiore per un condannato a morte è
quella di dover consolare pure il boia che lo impicca. È
peggio del pernacchio dentro l'orecchio! Lo sa?

FRANCA   No, no, guarda che non sono mica tanto d'accordo con te io...

ANTONIO   Neanch'io guarda!

FRANCA (*quasi commossa, ma con evidente sarcasmo*)   Anzi, chiedo scusa al signor commissario per aver fatto la
spiritosa prima... io apprezzo moltissimo che il signor
commissario abbia il groppo allo stomaco per quello
che è costretto a fare... Vuol dire che è una persona che
ragiona con la sua testa e anche col cuore. E se adesso
si trova per questione di pagnotta contro di noi al servizio dei nostri padroni bastardi... beh, chissà, forse
domani sarà proprio lui che ci darà una mano a farli
fuori... vero commissario che ci darà una mano se la
si volta?

SECONDO   Signor commissario?...

CORO (*cantando*)   Fai finta di dormire! (*Chiamando*) Signor commissario...

SECONDO   Signor commissario... Non risponde piú... o gli
è venuto un colpo o è scappato...

FRANCA   Speriamo bene... adesso cosa si fa?... ci salutia-
mo anche noi e ognuno va dalla sua mamma come si
dice...

ERNESTO   Prima beviamo il caffè!

MENICO   Ma neanche per idea... prima regola è non mollare mai... si resta qui... aspettiamo che arrivino gli altri che dovevano darci il cambio...

SECONDO   Intanto bisognerebbe darci da fare per farlo

sapere alla gente che ci hanno sbattuti fuori... almeno a quelli del primo turno che fra poco incominceranno a passare di qui per andare alla Boltri e alla Telsa.

GIANNI   Facciamo dei cartelli.

ROBERTO   Sí, e con che carta?

MENICO   Io ci ho due biglietti del tram.

SECONDO   Ma vai a farti operare di tonsille al sedere...

ANGELA   Andiamo ci sono delle signore...

FRANCA   Oeu ma che volgari questi operai del proletariato... certo che se lo viene a sapere la mia mamma che ci tiene tanto alle buone maniere, in fabbrica non mi ci manda piú.

MENICO   Guarda, l'unica è fare un bel blocco stradale... prendiamo quei bolognini in cemento e quei pali, li mettiamo di traverso, come hanno fatto quelli della Salamini sull'autostrada...

SECONDO   E come d'incanto arriva giú il commissario con tutta la truppa e te li fa vedere lui i salamini... quello tutto piangiulento, per come gli dispiace ci sbatte dentro come tante ramazze.

MENICO   Oeu, figuriamoci... adesso ci fucila addirittura...

ANTONIO (*sfottente*)   Ci fucilano...

SECONDO   Beh, se non lo sai è reato gravissimo intralciare la circolazione stradale...

ANTONIO (*spaventato*)   Ah sí?

FRANCA   È vero, adesso che mi ricordo l'ho letto sul manuale del buon rivoluzionario. (*Fa un cenno all'operaio con la chitarra. Cantano*)

> Alle manifestazioni
> senti questa – vai che vai ben
> devi sempre tener la destra
> cedere il passo alle autorità.

CORO

> Non sventolar bandiere
> specie se sono rosse
> che i cattolici non voglion no...
> socialisti non vengon no!

SECONDO   Senti se non la pianti te la do io la bandiera rossa ma sul serio... ti prendo a pedate da farti correre! anche se sei una donna!

FRANCA   Oeu, oeu... nervosetto il ragazzo eh?

ERNESTO   A te niente caffè!

MENICO   Ha ragione, calmati...

SECONDO   Ma sí, scusa... gliel'ho già detto un sacco di volte che a me quello spirito lí da contestatore alla super-
mao non mi va giú... 'sta mania di venire a sfottere, che
siamo integrati che facciamo i legalitari, i pompieri della
classe operaia... Ma lasciali dire a certi studenti cre-
tini che giocano ai rivoluzionari, quelle bausciate lí...
a loro, che poi fatta la bella sparata vanno a casa e c'è
il papà che li mantiene spesati magari anche di quattro ruote coupé con annessa ragazzina senotondo coscia
magra.

CLARA   Bravo, proprio un bel discorsetto con finale di
Giorgio Bocca e Montanelli messi insieme.

ANGELA   Chi sono?

CLARA   Corriere della Sera e affini.

ROBERTO   Eh sí, ha ragione... adesso sei tu che stravac-
chi... ci sono anche gli studenti che sgamellano peggio di
noialtri...

FRANCA   E non ci hanno il paparino che li mantiene...
Guarda l'Italo e quegli altri due con la barbetta che stu-
diano da dottore che vengono qui ogni tanto...

SECONDO   Ecco, vengono qui ogni tanto, quando gli gira...
per fare dislenguire le ragazze.

ANTONIO   E vai con l'altra sgammellata... lo sai benissimo
che se non stanno qui di casa è soltanto perché quello
della CGIL gli ha fatto capire che se restano alla larga è
meglio...

SECONDO   Non è vero, questa è una balla...

ANTONIO (*spaventato*)   A me me l'hanno raccontato...

CLARA   No, è vero, c'ero anch'io quando gli ha detto...
«sapete è meglio che stiate fuori perché poi cominciano
a dire che ci sono elementi estranei, che l'occupazione è
portata avanti dagli studenti, che il sindacato si fa stru-
mentalizzare dai cinesi!»

ANTONIO   Hai visto?

SECONDO   Beh, mi pare che abbia detto una cosa piú che
sensata...

FRANCA   E già, perché la prima regola è non dare adito,
non scoprirsi, non prestare il fianco... inchinarsi.

MENICO   E prenderlo sempre in quel posto... legalmente
s'intende!

SECONDO   Ecco, ecco vedi... e poi se io gli mollo un caz-
zotto dici che sono uno che si incazza.

ANGELA   Ma insomma piantatela con queste parole volga-

ri... davvero non sembrate neanche degli operai specializzati di quarta e quinta di prossimo avanzamento!

SECONDO   E vai a fare un giro anche tu... porco cane...
ma voi avete visto cosa ce n'è voluta di fatica per con-
vincerli quei quattro gatti che sono rimasti con noi: le
gabole... i trucchi che mi pareva di essere diventato un
prestigiatore... che soltanto tre mesi fa, se dicevi commissione interna, qui dentro scappavano tutti come rane
in una roggia...

ANTONIO   Io no!

SECONDO   E dobbiamo dire grazie al commissario che ci
ha buttato fuori... perché se si aspettava ancora qualche
giorno, non so chi ci restava ancora là dentro...

ANTONIO   Io!

SECONDO   C'era il fugone generale... Bastava che il padrone mandasse a dire «vi perdono»! Insomma siamo qui
che restiamo in piedi per le castronate degli altri, e loro
mi vengono a parlare di azione decisiva... barricate...
all'assalto...
Cosa credi che non sia d'accordo anch'io sul fatto che a
furia di fare i vaselina, i moderati legalitari, gli operai si
imbesuiscono, perdono il senso della lotta e i padroni tirano su il loro crestone prepotente e ti stangano che è un
violino? Ma noi abbiamo a che fare con dei terrorizzati,
altro che balle.

ANTONIO   È quello che dico sempre anch'io!

CLARA   Dài, vogliamo piantarla con 'sti discorsi da casa
della cultura e diamoci da fare.

ANGELA   Ci vuole una trovata per fare che quelli che passano fra poco per andare a lavorare si fermino...

MENICO   Che poi noi gli raccontiamo di quello che è successo... che ci aiutino... che si decidano a far qualcosa
anche loro.

ROBERTO   Facciamoci prestare l'altoparlante dal commissario...

SECONDO   Ecco poi io non devo tirare moccoli...

ERNESTO   Guarda... io avrei un'idea... ma non prenderla
come una spiritosata... facciamo fare tutta una scena
erotica a lei... all'Angela, una specie di spogliarello...
con tutti noi intorno... lui suona la chitarra.

SECONDO   E tu fai il caffè e apri un bel bar!

ERNESTO   Ma piantala! Allora ci stai?

ANGELA   No, scusa ma io mi vergogno...

MENICO   Dai non fare la stupida...

ANTONIO   T'insegno io. (*Mima uno spogliarello*).

MENICO   Mica c'è bisogno che ti spogli tutta nuda... basta che resti in mutande...

ANGELA   Appunto che mi vergogno... che ci ho su le mutande pesanti di lana... pensa che figura...

FRANCA   Ragazzi, io ce l'ho un'idea ma sul serio: un'idea che facciamo fermare anche i camion se vien bene...

SECONDO   Dài, sputa fuori!

FRANCA   Però ci vogliono i costumi... bisogna andare qui all'oratorio a fregarglieli che sono nel sottopalco... perché don Pierino non te li molla di certo.

ERNESTO   Mica avrai in mente di farci fare il teatro per caso?

ANTONIO   Perché no?

FRANCA   Macché teatro, facciamo il funerale.

ANTONIO   Ecco!

SECONDO   Che funerale...?

FRANCA   Il funerale al padrone... con la vedova, il prete e il resto... Come si fa a carnevale e a Capodanno che si seppellisce il vecchio.

CLARA   Eh già, facciamo un fantoccio di stracci, e poi ci mettiamo a piangere disperati... e la gente abbocca.

ERNESTO   Macché fantoccio di stracci, possiamo prendere il cuoco del «Gallo Rosso»!

ANTONIO   Il cuoco?? Il cuoco viene qui a fare il morto?

MENICO   Ma va... cos'hai capito... il pupazzo che c'è lí fuori...

SECONDO   Roberto, vieni con me.

Escono.

MENICO (*gridando alla volta di Secondo e Roberto*)   Guarda un po' se riesci a fregare anche qualche candela... e la sottana del sacrista... e il turibolo.

ANTONIO (*come sopra*)   Qualcosa da mangiare e la cotta da prete...

SECONDO (*da fuori scena*)   Se vai avanti ancora un po' faccio piú alla svelta a portarvi qui addirittura don Pietro in persona.

Alcuni operai si stanno dando da fare. Portano in scena qualche cassa, una tavola e cominciano a gridare piangendo.

CLARA È morto, è morto...

ANGELA Che disgrazia...

FRANCA Era cosí buono... Oh com'era buono!

COMMISSARIO (*col megafono dalla platea*) Che è successo... perché piangete? ehi... rispondete!

FRANCA È morto, non c'è piú oh, che disgrazia! era cosí buono!

COMMISSARIO Quando?

CLARA Poco fa... oh che dolore! Dica la verità che ci soffre anche lei!

COMMISSARIO Beh poveraccio... ma come è successo? E pensare che ieri sera ero a casa sua... stava cosí bene!

FRANCA Ah lei era a casa sua commissario? Beh, fa piacere che il nostro padrone avesse degli amici intimi anche nella polizia... che non era tenuto in gran disprezzo come succede alla maggior parte degli altri industriali.

COMMISSARIO Ma di che cosa è morto?

FRANCA Di crepacuore... pover'uomo, per il dispiacere, dopo la carognata che noi gli abbiamo combinato di occupargli la fabbrica... che rimorso!!

Il Commissario se ne va correndo.
Risata in coro.

CLARA (*prende due tubi e li batte violentemente*) Campane a martello... campane a morto...

ANGELA Tutti devono sapere della terribile sciagura...

Gli operai portano in scena due tavoli e un asse su cui verrà messo il morto.

FRANCA Gente, gente, ehi voi che andate indifferenti al lavoro, felici di poter prestare la vostra opera per il bene comune delle società per azioni! Fermatevi un attimo... e considerate l'ingiustizia del creato... dell'universo: muore il sole, ma il giorno dopo rinasce, muore anche la luna dopo che da piena ha partorito e si dimezza fino a scomparire... ma poi risorge... E perché non deve, non può risorgere il nostro padrone che è morto e che era sole e luna insieme, per noi... padre madre e sorella nell'affetto e nelle cure che ci dava... amante e battona... per tutto il resto!?

SECONDO (*entra indossando una giacca da soldato napoleo-*

*nico che assomiglia a quella di un carabiniere di Carlo
Alberto)* Ehi, i costumi... ecco i costumi... dateci una
mano... Ne abbiamo trovati una caterva... abbiamo dovuto buttar giú la porta.

Due operai portano molti costumi.

FRANCA (*prendendo un vestito nero*) Che bello, questo lo
prendo io.
MENICO Ecco questo è il costume che avevo su io per *La
colpa vendica la colpa*. Facevo il notaio...
ANTONIO Quello da prete me lo prendo io...
GIANNI Ma no! non è la tua misura.
ANTONIO Ma come, non è la mia misura? Mi va a pennel-
lo. (*In realtà l'abito da prete gli va piccolissimo*).
GIANNI Ma no, non vedi com'è corto?
ANTONIO (*piegando le ginocchia*) Ma io cammino cosí.
SECONDO Dài non facciamo mercato qui davanti... An-
date a mettervelli dietro alla tenda!

Tutti gli operai meno Secondo, escono. Il Commissario
è rientrato in platea.
Gli operai escono.

COMMISSARIO Ehi voi... sentite un po', cos'è 'sta storia?
CARABINIERE Comandi signore... ai vostri ordini... nei
secoli fedele, Savoia!
COMMISSARIO Ma cos'è sta buffonata?
CARABINIERE Non è una buffonata, eccellenza... sono un
rappresentante dell'ordine costituito. Evviva Carlo Al-
berto... comandi?
COMMISSARIO Comandi un corno... mi venite a raccon-
tare che il padrone è morto... ho telefonato alla moglie
per le condoglianze...
CARABINIERE Povera signora chissà come soffre! L'ha
salutata anche per noi?
COMMISSARIO Macché soffre... sta benissimo...
CARABINIERE S'è già consolata?... beh meglio cosí! Del
resto è giovane...
COMMISSARIO Ho detto che sta benissimo il marito, non
lei!
CARABINIERE Eh, beh, è sempre cosí... chi muore ha fini-

to di soffrire... e stanno male quelli che restano... non si dice cosí?

COMMISSARIO   Ma lui non è morto! È venuto lui al telefono di persona... e quando gliel'ho detto è caduto dalle nuvole!

CARABINIERE   Non lo sapeva? Beh, si vede che gliel'hanno tenuto nascosto... glielo diranno poco per volta... sa, venire a sapere tutto d'un colpo d'essere morto... fa un certo effetto!

Entrano tutti gli operai, alcuni di loro indossano gli abiti dei personaggi del potere borghese. Operaia Franca, vedova del Padrone; operaia Clara, amante del Padrone; Ernesto, medico del Padrone; Gianni, prete; Menico, primo altolocato; Roberto, secondo altolocato. Due operai portano in scena un pupazzo, grandezza d'uomo. Lo vestono con un abito nero e lo stendono nel tavolo al centro del palcoscenico.

COMMISSARIO   Ma smettetela di sfottere... disgraziati... si può sapere una buona volta che state combinando?

CARABINIERE   Facciamo il funerale, signor commissario!

COMMISSARIO   Il funerale?

CARABINIERE   Sí signore, il funerale al nostro signor padrone... che non c'è piú...

COMMISSARIO   Ah, è una carnevalata? Un funerale per burla?

CARABINIERE   No, è una prova generale in attesa che glielo si possa fare al piú presto, dal vero!

COMMISSARIO   Beh, andateci piano...

CARABINIERE   Perché, è proibito fare i funerali di prova? dica, comandi che noi sospendiamo: agli ordini!

COMMISSARIO   Beh, basta che non ci sia intenzione di minaccia palese... Ad ogni modo fate fate pure, ma vi avverto che io vi tengo d'occhio.

CARABINIERE   Grazie della sua benevola attenzione eccellenza... Ragazzi recitate bene... che abbiamo uno spettatore di riguardo... sua eccellenza! Fuori tutti presto in fila... Facciamo l'inchino! L'ordine costituito ci degna del suo sguardo...

CORO   Grazie! Eccellenza!

COMMISSARIO   Fate, fate gli spiritosi... vedremo alla fine chi si divertirà di piú! (*Esce*).

CARABINIERE   Voi, voi senz'altro, siete sempre voi gli spettatori... Andiamo a incominciare... vai vedova... piangi!

VEDOVA   No, non può essere vero... non è morto...

CORO   Eh sí, è morto, è morto.

VEDOVA   Aveva un cuore cosí forte... provi ancora dottore... forse si è solo addormentato... forse è solo in catalessi... lo ascolti ancora!

MEDICO   Riproverò! Tanto per farle piacere, ma... l'avverto, non s'illuda...

VEDOVA   Ma è possibile che con tutte le conoscenze altolocate che abbiamo... siamo intimi anche del ministro della salute pubblica che fra l'altro ci deve molto... potremmo farlo intervenire d'urgenza!

MEDICO   Non serve signora...

VEDOVA   E quel professorone... quel mago che cambia il cuore in quattro e quattrotto come se fosse una gomma d'automobile? Non guardiamo a spese!

MEDICO   È un'operazione che può fare solo se il paziente è ancora vivo...

VEDOVA   Chi gliel'ha detto?

MEDICO   Ho letto il suo articolo due mesi fa...

AMANTE   Appunto due mesi fa... ma in due mesi se ne fanno di progressi caro lei...

VEDOVA   E poi se uno paga in contanti come noi. Chiamiamolo... non perdiamo tempo... facciamolo venire subito qua...

ALTOLOCATO   Facciamo intervenire il ministro dei trasporti... lo conoscete?

VEDOVA   No, non siamo in relazione... però siamo in rapporti stretti con quello delle forze armate!

ALTOLOCATO   Non serve.

VEDOVA   Come non serve? Quello serve sempre, serve piú di tutti. Ci penso io... gli telefono. (*Mima una telefonata*) Pronto... Andreotti... Ah, non c'è piú Andreotti... ma da quando? Ah però torna... mi pareva bene... beh io avrei bisogno... siccome... sí, sí esatto, sí infatti... ecco proprio... va bene grazie! Sapeva già tutto... accidenti che efficienza... e poi parlano male del De Lorenzo! [1].

MEDICO   Allora 'sto professorone?

---

[1] Si allude al generale De Lorenzo capo del SIFAR.

VEDOVA   Ha detto che lo manda a prendere subito con
un jet!

Si sente un fracasso infernale... tutti insieme stanno ulu-
lando dentro a megafoni improvvisati.

TUTTI   Eccolo, lo lanciano!!

Dall'alto saltando con un ombrello aperto arriva il Medico: già col camice, un affare da macellaio, un grem-
biule da cucina sporco lurido, i guanti per i piatti...
ecc. È lo stesso attore che fa il Commissario.

PROFESSORE   Scusate il ritardo!
CORO   Ben arrivato professore...
PROFESSORE   Lei è la moglie? Piacere... (*Bacia l'Amante
con trasporto*).
VEDOVA (*gli batte sulla spalla*)   No, la moglie sono io... lei
è quella battona della sua amante, che ci va insieme solo
per i soldi!

Il Professore bacia la mano alla Vedova, le solleva la
veletta e va letteralmente sotto la veletta. Il Prete lo
tocca sulla spalla. Si volta di scatto e bacia anche il Prete. Si rende conto dell'equivoco.

PROFESSORE   Oh reverendo! Le dirò è la prima volta che
bacio un prete. Da noi in Sudafrica non si usa!
REVERENDO   Ma lei è pazzo andiamo... in pubblico poi!
Cosa diranno i miei parrocchiani quando sapranno che
oltre tutto lei è protestante!
PROFESSORE (*prende una mano del morto*)   Il paziente
dov'è?
VEDOVA   Ce l'ha in mano professore.
PROFESSORE   Ah sí? (*Al morto*) Bravo! Su con la vita!
(*Agli altri*) Prima regola è sempre quella di dare fiducia
al paziente... (*Di nuovo al morto*) Vedrà che non è nien-
te! (*Tasta il polso*) Gli avete misurata la febbre?
AMANTE   No professore.
PROFESSORE   Male!
AMANTE   Ma è morto!
PROFESSORE   E con questo? E poi chi vi ha detto che sia
morto?

VEDOVA   Ma il cuore non batte piú!

PROFESSORE   Ah perché voi siete rimasti ancora nella convinzione medievale che sia il cuore l'organo determinante. No, è il cervello... è lui che deve battere, palpitare... vivere! E questo cervello infatti... (*lo ascolta*) è morto!

TUTTI   Morto?

PROFESSORE   Sí, ma non ha importanza... Piuttosto l'avete purgato?

VEDOVA   No, ma è andato di corpo dieci minuti prima che morisse, anzi è morto che stava andando ancora di corpo!

PROFESSORE   Va bene, vediamo se riusciamo ancora a salvarlo...

VEDOVA   Oh, professore, davvero pensa che si possa?

PROFESSORE   Tutto si può... tutto dipende dal cuore che siete riusciti a procurarmi per il trapianto... che dev'essere vivo, sano e palpitante... Dov'è il donatore? Bisognerà toglierlo che gli batte ancora!

AMANTE   Ma noi veramente non ci abbiamo pensato... sa è successo tutto cosí d'un colpo. E poi pensavamo se lo portasse lei dal Sudafrica... con tutti quei negri cosí a buon mercato...

PROFESSORE   Purtroppo, dal momento che l'Inghilterra ha messo l'embargo...

VEDOVA   Ma andiamo, e tu avresti dovuto mettere un cuore di negro a mio marito?

PROFESSORE   Beh sbrigatevi... ci sarà pure un ospedale nei dintorni, chiedete se c'è qualche moribondo disposto...

L'Amante esce di scena.

PRETE (*additando un notabile*)   Se non lo sa lui che è un primario...

PROFESSORE   Qual è il primario?

PRETE   Il terzo da destra.

CARABINIERE   Spia!

PROFESSORE   Uno, due, tre. Il primario!

MEDICO   Sí, ce n'è uno, ma è malato di cuore, sta per l'appunto morendo d'infarto... bisognerebbe cambiarglielo a lui il cuore, ma sa è della mutua... capisce?

PROFESSORE   Certo, quelli della mutua non si possono sal-

vare. Piuttosto mi hanno detto che è un industriale: e
allora dico con tutti gli operai che ha, possibile che non
ci sia stato almeno un incidente grave nelle ultime ventiquattro ore?

VEDOVA   Ma vede, professore, sono in sciopero 'sti bastardi e se non lavorano, quelli mica crepano, 'ste carogne!

OPERAI   Ci scusi!

PRETE   Proviamo a telefonare all'associazione industriali.

Rientra in scena l'Amante.

AMANTE   Vengo io dall'aver telefonato proprio adesso...
ufficio informazioni: oggi ci sono stati molti incidenti,
come al solito, ma tutta roba minuta; ecco qua (*legge*):
dita mozzate, trentasei; mani, otto; piedi, undici; occhi,
tre; orecchio, uno; braccia rotte, uno e mezzo; ustioni
gravi, sei; impazziti, dodici; gluteo reciso, uno;... è
tutto!

VEDOVA   Ma come è tutto... morti niente? Ma come è possibile: le statistiche dicono che c'è un morto sul lavoro
ogni due ore...

AMANTE   Ci sono stati infatti... ma il primo della serie
era un saldatore che è caduto da dodici metri d'altezza.
L'hanno raccolto col cucchiaino da caffè! Il secondo è
caduto in un'impastatrice per la mortadella e siccome
quello è un complesso a lavorazione completa, è uscito
insaccato uniformemente distribuito in venticinque mor-
tadelle da due chili l'una che sono state come d'uso con-
segnate alla vedova. Il terzo, che lavorava in un gaso-
metro, è esploso. Il quarto...

VEDOVA   Basta cosí, andiamo... un po' di buon gusto! Siamo davanti ad un cadavere d'accordo, ma venirci a parlare di gente che muore in maniera cosí volgare.

PROFESSORE   Allora 'sto donatore volontario c'è o no?

CARABINIERE   Non ancora: ma perché non proviamo a
chiedere ai suoi operai se magari fossero disposti...

PROFESSORE   A fare che?

CARABINIERE   Non saprei, se qualcuno si volesse sacrificare per il bene comune!

VEDOVA   Certo, sarebbe piú che naturale... dopo tutto
quello che ha fatto mio marito per loro...

OPERAIA   Oh, questa è bella: e cosa avrebbe fatto per
noi...

VEDOVA   Vi ha sfamati, tanto per cominciare!

OPERAIO   Anche nella stalla di mio nonno sfamano la vacca... per poi mungerla...

VEDOVA   Già, e noi succhiamo il sangue vero?... poverini! Ma dí quando tu hai avuto il figlio che stava male... e 'sto vampiro di mio marito ti ha lasciato a casa una giornata intera pagata... di questo tu ti sei già dimenticata, vero? E tu, quando lui è venuto a sapere che tuo figlio che faceva il sarto ci vedeva poco, tanto che si cuciva la mano a macchina, chi gli ha comprato gli occhiali lenti mezzatinta con la montatura similoro? E chi ha sganciato i quattrini per l'asilo infantile che ci pioveva dentro lo scarico della fogna proprio nel refettorio? Non è stato sempre 'sto sfruttatore bastardo di mio marito?

OPERAIO   Beh, sí bisogna ammettere...

VEDOVA   Ah bisogna ammettere... ma adesso che lui, lui che vi ha sfamati, sollevati a dignità umana... che senza il suo ingegno, i suoi sacrifici, il suo coraggio ancor oggi andreste in giro con gli zoccoli, sareste ancora nelle cascine, in campagna a spalar merda...

PROFESSORE   Signora... almeno per rispetto a suo marito...

VEDOVA   Non si preoccupi, era la parola che gli piaceva di piú... E poi bisogna pure che mi faccia capire da queste bestie... Dicevo... oggi che grazie a lui vi siete fatti il motorino... magari la seicento con i tappetini e il ciondolo dello sportivo, la televisione due canali schermo evidenziato, il sapone profumato, il deodorante, le supposte effervescenti alla menta per digerire... oggi non c'è nessuno di voi che senta il bisogno di dimostrare quel minimo slancio di riconoscenza verso sto «babalucco». Qualcuno che venga avanti... «col cuore in mano» come si dice... per donarlo a lui!... Non tanto perché lui riviva... ma perché riviva l'azienda... perché i suoi compagni operai possano campare.

OPERAIA   Ma ci sono gli eredi, no? Mica la smantelleranno 'st'industria con i milioni che vale?

VEDOVA   E chi vi dice che non debba succedere proprio cosí? Non dimenticate il caso Riva[1]: muore il vecchio padrone saggio e benvoluto e una industria che valeva una

---

[1] Felice Riva, famigerato industriale bancarottiere, fuggito in Libano con decine di miliardi lasciando sul lastrico 8000 operai in Val di Susa.

fortuna: miliardi di utile al mese... passa al figlio sportivo ritardato, e trach salta per aria.

CORO ALTOLOCATI   No, il padrone non deve morire!

ALTOLOCATO   Chi si sacrifica per il suo padrone?

AMANTE   Al primo che alza la mano offriamo la liquidazione di categoria Q 8 piú la pensione completa alla vedova e ai figli...

PRETE   Funerali a nostro carico... una messa una volta all'anno per l'anima benedetta.

OPERAIA   E se non è credente?

VEDOVA   Gli rinnoviamo per vent'anni la tessera del partito o del sindacato a scelta... visto che adesso non hanno piú niente a che fare l'uno con l'altro... Avanti coraggio!

CORO ALTOLOCATI   Chi si offre?

Un operaio alza la mano.

CARABINIERE   Bravo! Evviva... lo sapevo che alla fine il cuore avrebbe vinto sul cervello!

Il morto viene tolto dal tavolo e al suo posto viene messo l'operaio.

OPERAIO   No, un momento, io volevo sapere se prima di tutto ci restituisce le trattenute per il capannone e il macchinario nuovo.

VEDOVA   Che trattenute?

OPERAIO   Il signor padrone ci ha trattenuto per due anni di seguito milleduecentocinquanta lire al mese a testa, perché diceva che senza il nostro aiuto non ce l'avrebbe fatta a rimodernare... e che se non rimodernava doveva chiudere per via che la concorrenza lo schiacciava...

VEDOVA   E con questo? Di che vi lamentate? L'ha rifatto sí o no 'sto capannone? Vi ha mantenuto al lavoro? Ha rinnovato il macchinario?... E allora?

OPERAIO   Ma è suo il macchinario... mica nostro... e anche il capannone nuovo...

VEDOVA   Ecco la meschinità che riaffiora: è mio! è tuo! è suo! è nostro! e poi dite di essere marxisti... ma non siete sempre voi i primi a decretare che la proprietà è un furto... e voi vorreste essere comproprietari di un furto? Vergogna!

OPERAIO   Sí però gli straordinari che non ci ha pagato, il premio di produzione che ce l'ha mandato in fanteria... e il cottimo a strozzo...

OPERAIA (*cerca di liberare l'operaio*)   Lasciatelo!

VEDOVA   Ma andiamo, stai a spulciare tutte 'ste stupidaggini... in un momento cosí solenne poi... invece di prepararti spiritualmente per il gran passo... Su da bravo... tenga professore... questo è il donatore... s'accomodi... (*Lo sospinge sul tavolo*).

OPERAIO (*fa per alzarsi*)   No, no... ma voi siete matti!

OPERAIA   Certo... vieni giú di lí e andiamo!

PRETE   Ha ragione, andiamo... mica è una bestia! Prima forse vorrà confessarsi vero? (*Lo aiuta a scendere dal tavolo e lo porta verso un angolo della scena. Il pupazzo del morto viene rimesso sul tavolo*).

Una ragazza li segue.

PROFESSORE   Sí, però sbrigatevi per favore (*tiene il polso del morto*) che qui viene tutto freddo e dopo non è piú buono per il trapianto...

PRETE (*all'operaio*)   Parla, parla pure, dimmi dei tuoi peccati... (*Alla ragazza*) E tu non star qui ad ascoltare!

OPERAIO   Ma che me ne frega dei peccati padre... io sono ateo... non ci credo!

PRETE   Non ci credi? Beh, ti assolvo lo stesso! Vai pure! È vostro!

Lo afferrano.

OPERAIA   No, no, lasciatelo andare... prendete me piuttosto!

CARABINIERE (*all'operaia*)   Ordine, ordine per favore... siete in arresto per resistenza a pubblico ufficiale, adunata sediziosa, spaccio di alcoolici ed esibizione sconcia di nudità in prossimità di cadavere.

OPERAIA   Che nudità, se sono vestita?

CARABINIERE   Fuori, ma sotto siete nuda... sconciamente nuda! fai vedere... (*Osserva dentro la scollatura del vestito*) vergogna!

Il professore ascolta il cuore dell'operaio.

PROFESSORE   Flessioni (*l'operaio esegue*) uno, due, tre...
stop. Ascolto! (*Esegue*) Questo ha il cuore affaticato...
asfittico... Evidentemente l'avete fatto lavorare in un locale tremendamente umido... con nessun ricambio d'a-
ria... ecco cosa succede a non essere lungimiranti... non
capire che un operaio non serve soltanto a produrre molto con la minima spesa... ma che domani può diventare
il soldato che combatte per noi... il cuore che batte per
noi.

VEDOVA   Sí, ha ragione, ma noi si pensava che con tutto
quel ricambio di disoccupati che abbiamo... e con il
Sud che quello, è un pozzo di sant'Antonio!

PROFESSORE   Eh, non si fidi troppo signora... guardi adesso si stanno svegliando un po' tutti quanti... da noi si
dice che tra poco manco le marmotte andranno piú in
letargo!

VEDOVA   Da voi, ma da noi c'è tempo... da noi c'è ancora
la Brianza, Vicenza, il Trentino, l'Alto Adige... la Ber-
gamasca che lí ancora oggi se non ci hai il benestare scritto e timbrato dal parroco tu in fabbrica stai sicuro non
ci entri!

PROFESSORE   (*auscultando la ragazza*)   Oh questo sí che è
un cuore come si deve... Brava! prendiamo questo... si
accomodi signorina! (*Danzando la fa stendere sul tavolo
sopra al morto*).

Menico esce di scena.

VEDOVA   Come, vorreste mettergli il cuore di quella lí?
Mio marito con il cuore di donna?

PROFESSORE   Beh, perché che c'è che non va?

VEDOVA   Oh che impressione... non potrei piú amarlo...
professore io sono una donna spregiudicata, ma sono
sana e cattolica!

PROFESSORE   Ma signora andiamo, il cuore non ha sesso!

CARABINIERE   Giusto, infatti si dice «cuore di mamma»,
ma s'intende anche «cuore di babbo»!

PROFESSORE   Ecco io sono pronto per l'intervento. Si-
stematemela...

ALTOLOCATO   Sistemargliela?... in che senso?

PROFESSORE   Possibilmente in forma traumatica... è meglio, che so, una martellata in testa... buttarla dal terzo piano, non di piú...

ALTOLOCATO   E perché?

PROFESSORE   Dev'essere perlomeno moribonda, in stato comatoso, perché io possa legalmente intervenire ed effettuare il trasporto traumatico... tirargli fuori il cuore insomma...

AMANTE   Ma non può farlo lei, con un'iniezione? mi ricordo come hanno fatto con il mio cagnone quando aveva la rabbia... zach una punturina... e pluff!

PROFESSORE   Sí, col cane si può, è tutto piú semplice; anzi se lei mi procura un cane... potremmo tentare di innestargli un cuore.

VEDOVA   Un cuore di cane a mio marito?

PROFESSORE   Ma non ci sarebbe gran differenza, sa.

VEDOVA   Grazie, dica pure, già che c'è, che mio marito aveva un cuore da lupo mannaro, anzi da iena mangia-cadaveri.

PROFESSORE   Ma no, io intendevo «anatomicamente parlando».

VEDOVA   Ah beh... anatomicamente sí, ammetto che non c'era 'sta gran differenza con un cane.

PROFESSORE   Brava... allora se me lo procurate... ma in fretta però. Andate al canile municipale, con quattro soldi vi prendete un randagio... sa uno di quei bastardoni...

VEDOVA   Oh no... mio marito col cuore di un bastardone no!

PROFESSORE   Ma guardi che normalmente sono piú intelligenti di quelli di razza... io avevo un volpino-foxter-rier...

AMANTE   Un vitello! un cuore di vitello non sarebbe meglio? C'è qui il macellaio all'angolo che ne ha di freschissimi. Con un paio di mille lire ce la caviamo e ci dà anche la giunta per il gatto.

VEDOVA   E poi come se la cava a dirigere l'azienda con un cuore di vitello?

PROFESSORE   Che c'entra: il fatto è che un cuore di vitello è troppo grosso... La misura giusta, semmai, sarebbe quella del montone.

VEDOVA   Eh no, scusi, lei è proprio malvagio! Ci vuol proprio far cacciare dal Rotari Club: perché già che c'è non dice di mettergli un cuore di porco?

PROFESSORE   No, non si può, il cuore del maiale è troppo delicato... non resiste al ritmo industriale. Mi dia retta, l'unica è tornare dalla ragazza... fatevi venire un'idea... organizzatele un incidente...

VEDOVA   Già, un incidente di macchina! La portiamo su un marciapiede, aspettiamo che passi un camion e trac, la spingiamo!

CARABINIERE   Attenti a come vi muovete... io vedo e rilevo... e se riscontro intenzionalità nell'omicidio... arresto!

VEDOVA   Beh allora facciamo intervenire la polizia... aspettiamo che loro, gli operai, organizzino una qualsiasi manifestazione di protesta... e caricaa! Loro reagiscono... e tatatata tatata... due morti, come di regola ci cascano di sicuro e se siamo fortunati anche una maestra affacciata alla finestra del secondo piano[1].

COMMISSARIO ALL'ALTOPARLANTE (*naturalmente la voce è registrata dal momento che l'attore che recita il ruolo del Commissario in questo è in scena nelle vesti del Professore*)   Attenzione ragazzi che io di quassú vi sto sempre ascoltando... v'avverto che quest'ultima battuta della polizia che ammazza proditoriamente non ve la lascio passare!

CARABINIERE   Ecco... è quello che gli stavo dicendo anch'io commissario! Mi fa piacere che lei la pensi ancora come me... come un antico carabiniere di Carlo Alberto! Bravo!

OPERAIA   Ma cosa stai lí a dargli corda, c'è un sacco di gente che s'è fermata a guardarci... andiamo avanti con 'sta storia!

VEDOVA   Giusto... facciamo 'sto trapianto in un modo o nell'altro e non parliamone piú! Forza professore!

PROFESSORE   Forza un corno! Mi avete fatto perdere un sacco di tempo con le vostre chiacchiere... al punto che è sopravvenuta ormai la necrosi totale!

VEDOVA   Cosa vuol dire?

PROFESSORE   Che il paziente è morto! Morto del tutto!

PRETE   Questo è il momento esatto in cui l'anima del defunto se ne vola via.

VEDOVA (*piangendo*)   Oh no... no! Non è vero... ditemi che non è vero!

---

[1] Riferimento ad una manifestazione contadina a Battipaglia nella quale ci furono due morti uccisi dalla polizia: una maestra trentenne, Teresa Ricciardi, che era affacciata ad una finestra del secondo piano, e Carmine Citro, un operaio di diciannove anni.

AMANTE   Che si fa: glielo diciamo?

CORO   No, non glielo diciamo...

PRETE   Raccogli o signore quest'anima benedetta!

CORO   Raccogli o signore quest'anima benedetta!

Entra il Gran Poiano impersonato da Menico. È vestito da uccello, con grandi ali colorate.

UCCELLO   Permesso, sarebbe questa l'anima da portare via?

VEDOVA   Oh, mio dio... chi siete... cosa volete da noi?

UCCELLO   Sono il Gran Poiano: il trasportatore delle anime celesti.

PRETE   E sei venuto a raccogliere l'anima di questo nostro parrocchiano esemplare? Sia felice signora: l'anima di suo marito va in cielo... ha visto?

Il Gran Poiano si avvicina al pupazzo del morto e gli slaccia il gilet.

VEDOVA   Ma che fa? Lo vuol spogliare? (*Il Gran Poiano gli ha spalancato la camicia e fruga*). Che sta cercando?

UCCELLO   Cerco l'anima, no?

VEDOVA   Ah, certo che stupida!

UCCELLO   Ma qui non c'è niente! Chi si è fregato l'anima del defunto?

CORO   Nessuno, nessuno l'ha toccata...

VEDOVA   Salvo il professore...

PROFESSORE   Gli ho toccato solo il polso... e poi io non trapianto anime!

UCCELLO   Allora non ce l'ha!

VEDOVA   Non ha l'anima... Mio marito non ha l'anima? Stia attento a come parla... domandi qui al parroco se ce l'aveva o no l'anima?

UCCELLO   Sentiamo, lei può testimoniare, può giurare di avergliela vista?

PRETE   Beh, vista proprio, no... l'anima è invisibile... si sa... ma io penso... che probabilmente... posso anche sbagliarmi...

VEDOVA   Ma sentilo... può sbagliarsi... probabilmente... ma quando 'sto parrocchiano esemplare gli ha dato un milione per la squadra di calcio dell'oratorio che adesso è in serie C, mica pensava di sbagliarsi... 'sto puzzone!

PRETE   Signora, ci vada piano con gli insulti perché guardi che io...

VEDOVA   Che io che cosa... è lei che insulta me... viene qui a mettere in dubbio pubblicamente che mio marito avesse o meno l'anima! Io posso testimoniare... gliel'ho vista io l'anima!

UCCELLO   Quando?

VEDOVA   Una sera, al tramonto... eravamo sul balcone e gli usciva dalla bocca... leggera... che pareva fumo!

UCCELLO   Stava fumando... forse.

VEDOVA   Macché, anch'io da principio pensavo stesse fumando, ma poi gli sono andata vicino e mi sono resa conto... che no, non aveva né sigaretta né pipa... era assorto, pareva che dormisse... E ad ogni respiro... ploch, ploch... mandava fuori un po' d'anima... come una boccata... e poi subito col naso se la riprendeva indietro... cosí... snsts... inspirando.

UCCELLO   Inspirava l'anima... l'anima a nasate?

VEDOVA   Beh, sí, come nuvolette... anzi, buttandola fuori, faceva anche dei cerchietti... anelli concentrici...

UCCELLO   Anelli e cerchietti con l'anima?

VEDOVA   Sí e certe volte anche delle bolle... sa è sempre stato un poeta... lui... un eterno bambinone!

UCCELLO   Ad ogni modo, adesso qui l'anima non c'è. È sicura che non l'abbia venduta?

VEDOVA   Mio marito venduta l'anima? Ma lei è pazzo... e a chi poi? Non vorrà tirarmi fuori la favoletta del diavolo che si compra l'anima in cambio... in cambio di che, poi? Mio marito ha sempre avuto tutto: la moglie, l'amante, la fabbrica, gli operai, un giornale, una squadra di calcio, due deputati, un vescovo, un giudice, un questore, un prefetto... semmai è lui che ha sempre comperato gli altri... come e quando ha voluto... compreso il diavolo forse.

UCCELLO   Eppure, dal momento che... Ah eccola... c'è, è qui... all'anima! Gli è andata a finire nei pantaloni.

VEDOVA   L'anima nei pantaloni?

UCCELLO   Si vede che gli è scivolata giú... per il troppo peso... Accidenti... ma è di piombo... Venite a darmi una mano... voi... forza... ohoo all'animaccia sua! manco si riesce a spostare! Poi mi spiegherà signora come faceva a fare nuvolette e cerchietti con 'sto macigno!

VEDOVA   Ma forse gli si sarà indurita ultimamente... con

tutti i dispiaceri che gli hanno fatto passare i suoi operai...

UCCELLO   Beh, mettiamola come le pare, per me io ho
chiuso... salute a tutti...

VEDOVA   Ma come se ne va senza portarsi via l'anima benedetta?

UCCELLO   Sí, chiamala «benedetta»... provi a farsela ca-
scare su un piede poi s'accorge... e io mica posso farmi
venire l'ernia a portarla fin lassú, col rischio che se per
lo sforzo mi si spaccano le ali, arrivo giú sparato come
un meteorite... e faccio un buco che mi fa ridere la caduta del Lucifero... lo sorpasso che manco lo vedo:
viuuvvv... vumm!

VEDOVA   Ma cosa succede allora? Verrà il caprone coi
campanelli a prendersela questa anima?

UCCELLO   Sí, il caprone... sfaticato com'è quello... No,
l'anima gli resta in corpo... cosí com'è.

VEDOVA   Dovremo seppellirlo con l'anima? Oh che vergogna... la prego ci aiuti signor Gran Poiano... non tanto
per lui e per noi... ma per il buon nome di tutta la Confindustria e del Rotari Club... Era pure cavaliere del lavoro... pensi cosa diranno all'estero?

UCCELLO   E che ci posso fare io... mica è colpa mia se lui
ha combinato un sacco di porcherie... che poi s'ingorga!

VEDOVA   Chi s'ingorga?

UCCELLO   L'anima, che è una specie di filtro... che dai e
dai... si intasa... fa la crosta... la crosta cresce...

VEDOVA   Ma vede, la colpa non è tutta sua... la colpa è di
come è impiantata 'sta bastarda società... che se uno non
si arrangia... se non cerchi tu di fregare per primo...

Alcuni si mettono ad annusare.

CARABINIERE   Ma cos'è sta puzza?

VEDOVA   Ha ragione... cos'è?

OPERAI   All'anima che tanfo!

MEDICO   Che stia marcendogli l'anima?

PROFESSORE   Può darsi. Senta˙Gran Poiano... lei che se
ne intende... che puzza è?

UCCELLO   Beh, mica sono professore in puzza io...

PROFESSORE   No, non si offenda... chiedevo se è l'anima
che magari sta andando a male.

UCCELLO Non so proprio... lassú normalmente non vanno a male. Però dal momento che a lui l'anima gli era finita nei pantaloni...

CARABINIERE Questo mi sembra piuttosto un odore... come dire di...

PRETE Dica dica...

CARABINIERE Come di uno che se l'è fatta addosso...

PRETE Bravo, mi ha tolto proprio la parola di bocca!

CARABINIERE Solo la parola?

PRETE Ehi dico?

CARABINIERE Per carità, non dica!... Ecco viene di là (*indica in direzione del Prete*) ... gira gira... passa di qua... rieccola di là!

Il Prete si sposta e ritorna ad essere indicato.

PRETE Senta la smetta di indicare sempre me!

CARABINIERE Scusi, che colpa ce ne ho io se lei si viene sempre a trovare sulla via della puzza!?

PRETE Non è vero... non sono io che mi trovo... sono gli operai... sono loro che continuano a fare 'ste scurrilità apposta per dissacrare... per vilipendere... per insozzare la memoria.

Si sente un gran pernacchio: PRACH.

CARABINIERE Fermi tutti! Ecco l'ho sentito... ho sentito il rumore scurrile... veniva di lí... (*Indica il professore*).

PROFESSORE Sí sí proprio! L'ho sentito anch'io. (*A sua volta indica il Gran Poiano*).

CORO Oh!

AMANTE Il Gran Poiano? Oeu... chi l'avrebbe mai detto... un uccello cosí distinto...

UCCELLO Ma come vi permettete? Io non ho mai fatto certi rumori... e poi un uccello non può... anche se volesse... dovreste saperlo! Per conformazione!

CARABINIERE Non è vero: io mi ricordo che al giardino zoologico di Aosta c'era un'aquila reale... che tutti i giovedí... una roba!

Pernacchio.

PRETE   Ancora! avete sentito... l'ha fatto ancora...

CORO   Oh!

VEDOVA   Eh, no basta! non permetto si accusi ingiusta-
mente un innocente... non è stato lui!

CORO   Ah no? E chi allora?

VEDOVA   Io...!

CORO   Lei?

PROFESSORE   Impossibile!

PRETE   No, no... è impossibile!

VEDOVA   Come «è impossibile»? Forse che non sono anch'io un essere umano come tutti gli altri? Un essere che
respira, che beve, che mangia, che soffre e che ride...?

CARABINIERE   Beh, ma c'è modo e modo di ridere!

PROFESSORE   Zitto... volevamo dire che lei è anche e soprattutto una donna... una donna cosí fine, aristocratica... che non può!

VEDOVA   Non può! Forse che l'aristocratica non ha visce-
re?

AMANTE   Sí, ma l'aristocratica si sa trattenere.

CORO   Eh sí, si sa!

VEDOVA   Chi ve l'ha detto? Cosa ne potete sapere voi del-
l'intimo di una donna sensibile? del perché e di che cosa
può succedere nel suo animo?... che la porta, che la muove... delle sue frustrazioni... delle angosce...! Che società meschina! si va sulla luna e nello stesso tempo si inor-
ridisce di fronte a una donna che rumoreggia?

AMANTE   Beh succede qui perché siamo dei provinciali...
a Parigi per esempio...

CARABINIERE   Anche ad Aosta...

VEDOVA   Ebbene, io non sono un'ipocrita intrisa di per-
benismo come voi... io ho il coraggio di farlo ma anche
di gridarlo! Sissignori... sí, gente ignorante e superficiale: in questo giorno di dolore io soffro e rumoreggio!

Pernacchio.

CORO   Brava!

VEDOVA   Per carità... non è proprio il caso...

PROFESSORE   Scusi, signora... una curiosità scientifica...
professionale: le succede spesso?

VEDOVA   Solo quando provo forti emozioni...

PROFESSORE   Ah certo, emozioni drammatiche... come in
questa tragica occasione...

VEDOVA   Esatto... lei capisce che davanti al cadavere di mio marito... come potevo trattenermi?

PROFESSORE   Non poteva?

VEDOVA   Eh no...

PROFESSORE   Eh già... è una specie di liberazione... che si estrinseca... come un pianto!

VEDOVA   Ecco, soltanto c'è chi riesce a liberare le lacrime... invece a me viene voglia di piangere... ma mi prende un groppo in gola che... mi blocca... e capisce!

PROFESSORE   Lo so... lo so... si chiama Alegeptofagia... dal greco Alegeptos che vuol dire...

VEDOVA   La prego sono una signora!... e ho fatto il classico!

PROFESSORE   Ha ragione mi scusi. Ad ogni modo la sua fortuna è che non le capiterà spesso...

VEDOVA   Eh no... purtroppo io sono un'emotiva tremenda... Mi vien da piangere per un nonnulla! Che so: un mazzo di fiori... una bandiera che sventola!

CARABINIERE   Beh davanti alla bandiera succede anche a me.

VEDOVA   Anche lei davanti alla bandiera esterna...?

CARABINIERE   No, io solo l'emozione... così semplice, non conosco il greco.

PROFESSORE   E non si sente imbarazzata?

VEDOVA   Oh sí, mi vergogno da morire, specie in pubblico, ma non c'è niente da fare, divento rossa, mi vien da piangere, mi viene il nodo alla gola... come adesso. E ci ricasco! (*Pernacchio*) ... Vede?

PROFESSORE   Si calmi, la prego. (*Le prende la mano*) E voi non ridete, villani!

VEDOVA   No, no... lasci pure che... È inutile, è piú forte di me... Non riesco a trattenermi! Ho tentato un sacco di cure... ma niente da fare... (*Pernacchio*) Oh, che vergogna!

PROFESSORE   Per carità non si vergogni cosí... se no è peggio.

Il Gran Poiano si fa vento sventagliandosi con le ali. Il Prete agitando il turibolo cerca di correggere l'aria con i fumi di incenso. Tutti non sanno piú trattenersi dal ridere.

VEDOVA   Lo so che è peggio, ma se loro mi ridono in faccia così! (*Pernacchio e risata generale*). Vede, vede, adesso ride anche lei.

PROFESSORE   Scusi, ma è il fatto che... ih... ah... pensi ad altro... parliamo d'altro... (*Ride senza ritegno*).

PRETE   Sí, parliamo del piú e del meno.

MEDICO   Sí parliamo di cose piú allegre...

CARABINIERE   Parliamo di donne...

PROFESSORE   Di donne allegre, senz'altro!

Pernacchio.

CARABINIERE   Piú allegre di cosí!

VEDOVA   Sapeste quante volte ho pensato di uccidermi... ho chiesto anche di entrare in convento, ma le suore non mi hanno voluta.

PROFESSORE (*ipocrita*)   Come mai?

VEDOVA   Dicevano che avevo il diavolo in corpo... che era lui lo scurrile dentro di me.

CARABINIERE   Oh diavolo scurrilone!

Pernacchio.

VEDOVA   Voglio morire! (*Piange*).

Presi dal fout-rire, non sanno ormai trattenersi.

PRETE   Scusi ah, ah... Ma non so com'è signora... ah ah... lei capisce... ah ah, (*pernacchio*) oh deo grazia!

VEDOVA   Ridete, sfogatevi pure senza complimenti, ormai... (*Con un fil di voce*) Il mio povero marito... lui che mi amava davvero... lui era l'unico che non ridesse mai in questi momenti... anche perché si era abituato... era delicato... diceva solo: salute! oppure: allegria! E adesso non c'è piú... è morto... ahaaaa. (*Pernacchio*).

TUTTI   Salute! Allegria!

MEDICO   Basta, piantiamola con 'sta pagliacciata! Ci siete cascati tutti, ero io a fare i rumori scurrili con questa! (*Mostra una camera d'aria di pallone*).

UCCELLO   Oh tu guarda, faceva i rumori per la signora... Ma la puzza?

MEDICO   Quella era vera!

CORO   Ah ecco!

MEDICO   Viene dalla nostra fabbrica.

AMANTE   Eh già, è la puzza dei fumoni... infatti, guarda... hanno acceso i forni...

OPERAIA   Ma allora perché la signora ci ha voluto far credere che era lei... per via di quella cosa greca?!

MEDICO   Per cercare di mascherare davanti a degli estranei a «degli stranieri» (*indica il Professore*) questa nostra vergogna di un'industria puzzolente senza ritegno... per questo si è voluta sacrificare.

PROFESSORE   Gesto nobile! Complimenti signora!

VEDOVA   Sí, mi sono addossata la colpa perché all'estero non giungesse l'eco... non venisse infangato il nome della nostra patria...

CORO   Però che gran cuore!

VEDOVA   In senso tecnologico.

CARABINIERE   Ah, ci risiamo...!

OPERAIA   Che c'è?

CARABINIERE   Ma non sentite st'altra puzza!

OPERAIO   Certo... ma è un odore diverso stavolta!

AMANTE   Direi che è piú amaro...

PROFESSORE   A me sembra piú abboccato... con un fondo di...

PRETE   Oeu ma è una cosa vomitosa!

VEDOVA   No, questa puzza non è nostra... È della fabbrica qui di fronte... il cementificio Zani-Innocenti.

PROFESSORE   Cementificio? Ma allora è anche velenoso...?!

OPERAIA   Ah, da noi tutte le puzze sono velenose...

PROFESSORE   Ma perché non mettete i depuratori?

AMANTE   I depuratori? Ma lei ha l'idea di quanto costi un depuratore?

VEDOVA   E poi vuole che in un paese sottosviluppato come il nostro si stia a pensare alla puzza?

ALTOLOCATO   Beh, ma anche se uno non ci pensa, un tanfo come questo lo sente lo stesso...

PROFESSORE   Mi domando come fanno quei poveri disgraziati che abitano da 'ste parti...

VEDOVA   Oh non ci fanno piú caso... ci sono abituati... la respirano già in fabbrica!

AMANTE   Scusate, ma io... bisogna che me ne vada di qui, se no fra poco vomito.

PRETE   Aspetta che veniamo anche noi...

MEDICO   Beh... a 'sto punto ce ne andiamo tutti...

VEDOVA   E mio marito? Lo lasciamo qui da solo?

AMANTE   No, lo portiamo con noi... gli facciamo il funerale no?

VEDOVA   Giusto!

AMANTE   Presto muoviamoci che la puzza cresce... voi prendete la bara...

In quattro sollevano l'asse con sopra il morto disteso, e se lo caricano sulle spalle. Si dispongono a due a due per il funerale, con il Prete in testa.
Dietro al feretro la Vedova, gli Altolocati, l'Amante, quindi un po' staccati, gli operai. La luce si abbassa lentamente.

PROFESSORE   Io sorreggo la vedova...

CARABINIERE   Io posso sorreggere l'amante?

OPERAIA   Forza camminate lí davanti... usciamo da 'sta puzza, svelti...

UCCELLO   Piú svelto di cosí! Mica si può fare un funerale di corsa!

CARABINIERE   Perché no... io una volta ne ho visto uno in bicicletta nel Ravennate... prete, chierici, anche la vedova... tutti in bicicletta... tutti che correvano!

PROFESSORE   Ah sí... ah ah... e chi è arrivato primo!? Chi ha vinto?

PRETE   Serietà, andiamo...

VEDOVA   E ma se lei reverendo non dice neanche le litanie... come si fa?

CORO   Forza reverendo, ci canti qualcosa...

CANTO DEL FUNERALE DEL PADRONE

PRETE
   Eterno profitto dona loro o signore
ALTOLOCATI
   Liberali da ogni cedolare
   da ogni controllo e da ogni verifica
   Mantienici nell'usufrutto dell'utile netto e
   cosí sia.
OPERAI
   Rimetti a noi i loro debiti
   che tanto noi ci siamo abituati

fai che noi si possa continuare a dare
senza mai ricevere
senza mai chiedere.
Non ci indurre in tentazioni pur sapendo che
siamo sfruttati
liberaci da ogni senso di dignità
tienici lontano da ogni ribellione, dal demonio
e dalla rivoluzione.

ALTOLOCATI

Reddito nostro che sei alla Saffa
alla Pirelli e alla Montedison
solo le buone azioni facci comprare

santissimo profitto che sei in ogni luogo
specie alla Fiat
rendici l'utile netto del cento per cento
e cosí sia.

PRETE

L'utile netto dona loro signore
che guadagnamo qualcosa anche noi
per non parlare del Vaticano.

ALTOLOCATI

Fai che noi si possa far fallire
ogni sciopero grazie a Restivo [1]
e nell'ora della nostra brutta sorte
liberaci con un bel colpo di stato e cosí sia.

MEDICO   Attenzione, stiamo per passare davanti alla Snia...

AMANTE   Eh già; senti che odore di pesce marcio...

OPERAIA   Forza... di corsa! Che questo è il piú tossico di tutti!

VEDOVA   Oh no, non cosí in fretta, non ce la faccio... soffoco!

PRETE   No, non andate lungo quel canale... quello è dove scaricano i residui della Bemberg che è roba da colera.

OPERAIA   Giriamo per di qui... che passiamo per i campi.

AMANTE   Ecco sentite? Questo è puzzo di stalla...

PROFESSORE   Ah il buon odore di sterco naturale... senti il concime fatto con l'orina dei maiali... Quant'è buono!

AMANTE   Mi sembra un sogno...

MEDICO   Oh guardate: sterco di capra...

---

[1] L'allora Ministro degli interni.

AMANTE   Bellino... fai vedere...

VEDOVA   Ma no, che schifo... è una pallina di liquirizia. Sapessi con che porcherie la fanno... butta via!

CARABINIERE   Accidenti che nebbione non ci si vede piú a un metro...

PROFESSORE   Macché nebbione... non vedi che è giallo... Siamo dentro a una nuvola di solfuro acido di antimonio...

OPERAIA   Ma allora siamo nei pressi della Breda...

PRETE   Vuoi vedere che abbiamo sbagliato strada? (*Passa un contadino*). Scusi buon uomo... andiamo bene di qui per il cimitero?

CONTADINO   No, guardi, per il cimitero dovete andare di lí... seguendo questa puzza di zolfo misto a caprone rancido... la sentite?

UCCELLO   Sí sí... viene di lí e va di qui...

CONTADINO   Ecco... andate dritto finché non incrociate un tanfo schifoso di carburo misto a carogna di gatto... poi sorpassate di corsa gli stabilimenti addittivi... che è roba che se non vomitate siete dei fachiri e lí voltate a destra, finalmente dopo una ventata di cavolo marcio putrefatto che viene dalla Montecatini Edison, entrate nel cimitero che è l'unico posto dove c'è l'aria buona... È chiaro?

UCCELLO   Sí, abbastanza, grazie...

VEDOVA   Reverendo, si porti in testa a cantare che cosí ci orizzontiamo e restiamo uniti.

PRETE   Sí, ma cantate anche voi.

CORO
        Eterno profitto dona loro signore
        liberaci da ogni cedolare
        da ogni controllo da ogni verifica.

La luce si abbassa ulteriormente.

PROFESSORE   Per la miseria cos'è 'sto buio? Sta venendo notte tutto d'un colpo.

AMANTE   È lo smog...

PRETE   Lo smog? Non può essere; c'è una legge antismog.

AMANTE   Tappatevi la bocca che qui crepiamo asfissiati!

VEDOVA   Soffoco! Governo ladro e gasista!

Il Gran Poiano sbatte le ali con forza. Secondo, Roberto ed Ernesto escono di scena. Nella confusione generale anche il morto viene portato fuori scena.

PROFESSORE   Ecco bravo Poiano... sbatta bene che si libera un po' l'aria!

UCCELLO   Macché libero... vorrei tagliare la corda... ma non ce la faccio ad alzarmi manco d'una spanna!

VEDOVA   Mio marito? Dov'è mio marito... Lei non era uno di quelli che se lo portavano in spalla? Dove l'avete lasciato?

UCCELLO   Nel canale... siamo finiti tutti e quattro nel canale laggiú... ci siamo trovati dentro senza accorgercene...

VEDOVA   Disgraziati... Aiuto! C'è un cadavere nel canale!

PROFESSORE   Non si preoccupi è già infetto per conto suo.

PRETE   Signora... se non sbaglio sta arrivando una squadra di soccorso: guardi.

Entra un gruppo di uomini, Secondo ed Ernesto, con strane tute, elmetti e maschere antigas, spingono avanti un operaio, Roberto bendato e con i polsi legati dietro la schiena. Luce piena. Durante questa scena senza farsi notare Menico, Professore e Antonio.

VEDOVA   Oh bravi! Fate in fretta mio marito è caduto laggiú... E lei, gli faccia strada, presto!

CAPO CON MASCHERA   Non abbiamo tempo signora, dobbiamo giustiziare questo operaio, e siamo già in ritardo.

VEDOVA   Lo giustiziate? Perché, cos'ha fatto?

CAPO   Niente...

OPERAIA   Come niente? (Al Prete) Ammazzano un operaio per niente?

PRETE   C'è stato il colpo di stato allora!

AMANTE   Ehi, ci siamo: l'esercito ha messo le cose a posto, finalmente!

PROFESSORE   Che succede?

VEDOVA   Stanno fucilando uno della commissione interna! Li fucilano tutti!

CAPO   Ma che dite, non c'è nessun colpo di stato, per adesso.

PROFESSORE   E allora perché lo ammazzate?

CAPO   Per statistica.

PROFESSORE   Per statistica?

CAPO   Certo, le statistiche dicono che ogni due ore muore un operaio sul lavoro; oggi ce n'è stato uno di meno
e bisogna far tornare i conti... cosí quello che manca lo
sistemiamo noi.

UCCELLO   Ma è assurdo... pazzesco!

PRETE   Certo: in questo caso diventa un assassinio.

OPERAIA   Ah perché negli altri casi no?

VEDOVA   No, sono incidenti... e del tutto casuali!

CAPO   Non dica sciocchezze, la statistica è una scienza esat-
ta, cara signora. Noi tecnici sappiamo già tutto in anticipo. Durante il collaudo di una nuova macchina o di
una catena di montaggio i computer ci dicono già quanti incidenti ci procureremo con il tal ritmo, quanti morti con il tal'altro. E dal momento che i ritmi li decidia-
mo noi... dov'è il casuale?

VEDOVA   Va bene, ma il computer non vi dirà anche il nome e il cognome della vittima. Nella realtà è il caso che
sceglie!

CAPO   Ma anche noi andiamo a caso... questo per esempio l'abbiamo tirato a sorte tra duecento operai. Ha vinto lui! Come vede abbiamo rispettato anche la forma.

VEDOVA   E come lo ammazzate?

CAPO   Ah non lo sappiamo ancora... anche qui è la sorte
che decide... Le spiace pescare?

Le offrono un sacchetto spalancato, tipico della tombola.

VEDOVA   Cos'è?

CAPO   Una specie di tombola... ogni numero corrisponde
ad un diverso incidente che noi poi andremo a riprodur-
re con approssimazione. Per esempio: se esce la trancia
abbiamo una mannaia; se esce maglio, una mazza per i
vitelli; se esce grisú abbiamo una bomboletta di gas. Coraggio signora, peschi.

VEDOVA   No no, è terribile... mi rifiuto. È una cosa mo-
struosa, una barbarie...

AIUTANTE CAPO   È la nostra civiltà signora... è lo scotto
che dobbiamo pagare al progresso tecnologico. Succede ogni giorno, ogni ora...

VEDOVA   Sí, lo so, ma...

CAPO   Ma lei in quel caso non si risente mai... invece qui...

VEDOVA   Sí, ma c'è anche una questione di forma... Un conto è se succede dentro una fabbrica... fuori dal mondo...

OPERAIA (*ironicamente*)   Già in fabbrica è come capitasse in Africa o nel Vietnam...

VEDOVA (*agli Altolocati*)   E voi non dite niente? Possibile che non ci sia nessuno disposto a venire in aiuto a questo povero disgraziato?

PRETE   Il mondo è cattivo... l'egoismo... la mancanza di carità...

Entrano tre personaggi, Menico, Commissario, Antonio, in abiti borghesi ma con bombetta e coccarde tricolori, molto vistose. Sono i Parlamentari.

PRIMO PARLAMENTARE   No, noi non resteremo certo impassibili davanti a un simile delitto!

CORO PARLAMENTARI   No, non resteremo!

CORO   Bravi, chi siete?

CORO PARLAMENTARI   Parlamentari responsabili! E indignati! Non si vede?

AMANTE   Certo, anche a occhio nudo!

PRIMO PARLAMENTARE   Faremo subito un'interrogazione urgente al parlamento!

CORO   Bravi!

SECONDO PARLAMENTARE   Urgente e indignata!

TERZO PARLAMENTARE   Faremo intervenire il sindaco.

OPERAIA   Basterà?

PRIMO PARLAMENTARE   E se non bastasse, faremo un altro intervento al senato, tre petizioni, una protesta scritta al prefetto...

SECONDO PARLAMENTARE   Raccoglieremo firme fra gli intellettuali e gli artisti.

TERZO PARLAMENTARE   Faremo spedire telegrammi di solidarietà ai congiunti della vittima...

PRIMO PARLAMENTARE   Promuoveremo un'inchiesta da parte dell'ufficio del lavoro...

SECONDO PARLAMENTARE   Solleciteremo l'intervento delle autorità competenti...

CORO   Bravi!

VEDOVA   Ma è adesso che dovete intervenire... subito! Dovete impedire che lo ammazzino.

ALTRA VOCE DAL PUBBLICO   Scusate io spero sempre che
   stiate recitando, cosí per metterci, come dire, in tensione...

SECONDA ATTRICE   No, purtroppo non stanno recitando,
   glielo posso assicurare io, che sono tutt'altro che d'accordo con 'sta trovata...

DAL PUBBLICO   Guardate che basta far intervenire la protezione degli animali e v'accorgete... Basta una telefonata.

QUARTO ATTORE   Allora se arrivano qua che possono farci? Arrestano un macellaio con tanto di patente, fai vedere... L'hai portata?

Il Macellaio armeggia con il portafogli ed estrae un pezzo di carta abbastanza logoro, lo mostra al pubblico.

SECONDO ATTORE   Arrestano un macellaio autorizzato che
   ammazza un capretto... ma è il suo mestiere, no? Lui ne
   ammazza trenta-cinquanta al giorno fra capretti, agnelli, vitelli... e nessuno gli dice niente.

VOCE PUBBLICO   Già, ma li ammazza in una macelleria, in
   un locale apposito, mica qui, in un teatro.

SECONDO ATTORE   Ah ma allora anche voi, come prima la
   vedova, ne fate solo una questione di forma! «In fabbrica si può ammazzare, farlo fuori no, è di cattivo gusto».
   O forse non è che vi dà fastidio l'idea del confronto
   troppo crudo fra il capretto sgozzato e l'operaio pure. Il
   capretto che rantola, perde sangue... si dibatte... come
   ogni giorno cinque, dieci, cento, mille operai... e poi
   facciamo tutti insieme un bel telegramma di solidarietà... O è forse demagogia, operaismo... trombonate da
   sentimentali allo stato emotivo?

Sull'altro lato gli attori si sono rimessi la maschera antigas, che si erano tolta durante l'interruzione e si avvicinano all'Operaio da giustiziare.

SECONDA ATTRICE   No, per Dio. Non permetto.

SECONDO ATTORE   Ma che cosa non permetti? A parte
   che prima eri d'accordo...

SECONDA ATTRICE   E adesso ci ho ripensato... perché ho
   capito che il pubblico non ci sta... ho orecchio io...

PRIMO ATTORE   Beh mi dispiace per il tuo orecchio, ma è
tardi... fatti in là e siediti tranquilla.

SECONDA ATTRICE   Ma non capite che rischiamo di indi-
gnarli tutti quanti... di disgustarli!

SECONDO ATTORE   E non è proprio questo che vogliamo?
E adesso basta, vai al tuo posto che cominciamo.

SECONDA ATTRICE   Ma andate a quel paese voi e il vostro
sacrificio di Abramo... è inutile: intellettuali e politici
sono sempre stati la peggior rogna che può capitare in
teatro. Sapete che vi dico: io vi pianto qua tutti e me
ne vado.

PRIMO ATTORE   No, tu non pianti un bel niente... tu resti
come resta il pubblico... se non ti rincresce.

Silenzio. Il Macellaio ha dato un colpo di affilatura ai col-
telli. Ha sistemato la tinozza. Ha accostato un secchio
con dell'acqua; gesti analoghi vengono compiuti sull'altro lato dov'è l'operaio. Il Macellaio fa un cenno come
dire che è pronto. Silenzio.

SECONDA ATTRICE   No, scusate... vi faccio una proposta...
un attimo solo... sono sicura che vi troverete d'accordo...
guarda.

Imprecazioni fra i denti degli altri.

TERZA ATTRICE   Eh per la miseria... hai mandato a rebe-
lotto tutto quanto... c'era una cosí bella tensione.

SECONDA ATTRICE   No, non arrabbiarti... ascolta... dopo
questa scena lo spettacolo è finito, no?

SECONDO ATTORE   Sí, e allora?

SECONDA ATTRICE   E dopo ci sarà il dibattito?

PRIMA ATTRICE   Certo come al solito.

SECONDA ATTRICE   Ebbene anticipiamolo, facciamolo
adesso, subito, il dibattito; e sentiamo cosa ne pensa il
pubblico... se è d'accordo, o no. Decretiamo l'assemblea... si discute e se loro dicono che bisogna ammazzare il capretto... allora...

PRIMO ATTORE   Vuol dire che è Pasqua!

SECONDA ATTRICE   Stupido... allora ci stò anch'io... facciamo 'sta scena del capretto e non se ne parla piú...
Cosa dite? Alzi la mano chi è d'accordo.

La maggioranza alza la mano.

SECONDO ATTORE   Hai vinto! e va beh.

QUARTO ATTORE   Come al solito si rimanda! Ogni scusa è
buona per sospendere, rinviare... domani... chissà... Rivoluzione sospesa – stop – organizzare dibattito.

PRIMA ATTRICE   Sta' zitto tu adesso, e seduto!

SECONDA ATTRICE   Comincia il terzo atto. Ci sediamo anche noi se permettete e a voi la parola. Il dibattito è
aperto.

PRIMO ATTORE   Il dibattito è aperto e lo spettacolo è chiuso a schifio. Guarda che roba... Guarda che mosceria di
finale. E pensare che doveva essere un finale a «spacca-
tutto» con tutta la gente in piedi, impazzita... che urla-
va... cantava, applaudiva.

Tutti gli attori fischino il Primo attore.

SECONDO ATTORE   E adesso seduto e lasciaci parlare! (*Al
pubblico*) Il dibattito è aperto!

Indice

Stampato per conto della Casa editrice Einaudi
presso la Lito Velox, Trento

C.L. 42796

Ristampa

5 6 7 8 9 10 11 12

Anno

88 89 90 91 92 93 94

Gli struzzi